De dode opdrachtgever

Gauke Andriesse

De dode opdrachtgever

Uitgeverij Atlas – Amsterdam/Antwerpen

Fiat justitia, ruat coelum
Let justice be done, though the heavens fall

Eerste druk, februari 2006
Tweede druk, maart 2006

© 2006 Gauke Andriesse

Omslagontwerp: Studio Jan De Boer
Omslagillustratie: © Bilderberg Archiv der Fotografen/
Hollandse Hoogte
Foto auteur: Bert Nienhuis

ISBN 90 450 1414 9
D/2006/0108/516
NUR 305

www.boekenwereld.com

I

Ik ontvang mijn klanten in een eetcafé in de Amsterdamse wijk De Pijp. In al die jaren dat ik er kom, is het interieur niet gewijzigd. Het enige dat verandert, is het personeel en de posters aan de muur met aankondigingen van concerten en theatervoorstellingen. In de winter wordt het plafond van dikke houten balken omgetoverd tot een sterrenhemel met vele honderden kleine lichtjes. In de zomer wordt het terras opgebouwd en staan de deuren permanent open. Ik woon zo dichtbij dat ik op zulke avonden in bed het geroezemoes van het gepraat en gelach kan horen. De mensen die alleen iets willen drinken staan aan de lange bar, de mensen die komen eten zitten aan de vele houten tafels. Er staan een paar grotere leestafels, die altijd vol liggen met kranten en tijdschriften. Daar zit ik meestal te lezen en koffie te drinken. Of na te denken over zaken waarmee ik bezig ben. In de ochtend althans, als het rustig is; als het druk is kom ik er niet.

Iedereen die iets van me wil, kan me daar ontmoeten. En dat gebeurt zeer regelmatig, vaak genoeg om er goed van te kunnen leven. Er is veel ellende en vuiligheid waarvoor men niet bij de politie aanklopt. Bij gebrek aan vertrouwen, uit schaamte of omdat men met voorrang geholpen wil worden. Tegenwoordig wil zo ongeveer iedereen dat laatste, maar niet iedereen kan dat betalen. Voor sommigen gaat het om een 'grijs' gebied, waarvoor men liever niet de politie inschakelt. 'Grijs' dat, als ik er dichterbij kom, vaak nog zwarter is dan de zwartste nacht.

Ik sta in de Gouden Gids, onder Detectivebureaus: 'J. Havix, detectivebureau, voor bedrijven en particulieren', met mijn telefoonnummer. Een gewone vaste telefoon met antwoordapparaat. Ik heb wel een mobiel, maar die ik gebruik ik maar zelden. Ik vind het niet nodig om altijd maar voor iedereen bereikbaar te zijn. De 'J' staat voor Jager, een mooie naam die ik te danken heb aan mijn vader. Het is overigens zuiver toeval dat die naam inmiddels zo goed de lading dekt van wat ik doe.

Ik werk voor bedrijven en particulieren. Van mond-tot-mondreclame moet ik het niet hebben, in ieder geval niet bij particulieren. De mensen die me inhuren vergeten me het liefst weer zo snel mogelijk. En de kans dat ze mijn diensten bij bekenden moeten aanbevelen, is nihil.

Ik doe van alles en nog wat. Fraudezaken, die zeer frequent voorkomen. Van wat wordt verdiend, eerlijk of oneerlijk, wordt een hoop weer gestolen. Verdwijningen, emotioneel het meest belastend, doe ik slechts zeer zelden. Opdrachten waarbij het om ontrouw gaat doe ik steeds minder vaak, met toenemende tegenzin en alleen om gaten in mijn agenda op te vullen. En ten slotte zijn er de interessantste opdrachten, waarbij het minder gaat om persoonlijke emoties: de jacht op gestolen, vaak zeldzame kostbaarheden die men koste wat kost terug wil hebben.

In dat geval werk ik voornamelijk voor verzekeringsmaatschappijen, hoewel die dat nooit publiekelijk zullen toegeven. Dat soort zaken zijn het lucratiefst, ik vraag een percentage van de waarde van het vermiste object, maar ook het meest risicovol omdat ik werk op basis van *no cure, no pay*.

Op dat terrein zijn er in Nederland hooguit een vijftal mensen die de echt ingewikkelde zaken kunnen behandelen. Dat is de crème de la crème en we kennen elkaar allemaal. Bij hele grote zaken komt het zelfs weleens voor dat we een consortium vormen. Net zoals ik opereren de meesten bij voorkeur alleen.

Voor particulieren werk ik liever niet. Als die ergens het slachtoffer van zijn, is de reactie bijna standaard: 'Mijn god, waarom overkomt míj dit? Waar heb ik dat aan verdiend?' Alsof het leven een feest is en men niet anders dan geluk en voorspoed mag verwachten. Wie voor ellende gespaard blijft, zou God elke dag op zijn blote knieën moeten danken. In plaats daarvan denkt iedereen recht te hebben op het onbeschadigd bereiken van de haven. Is het besef dat men kan zien, dat men kan lopen, iets om elke ochtend bij het ontwaken dankbaar voor te zijn? Vraag het de blinde, vraag het de kreupele.

De man die ik op die grauwe en gure zaterdagochtend in oktober zou ontmoeten, had ik alleen maar over de telefoon gesproken. In tegenstelling tot veel andere potentiële klanten had zijn stem niet opgewonden, beschaamd of ongemakkelijk geklonken. Hij wilde een afspraak maken en maakte dat op een zakelijke manier kenbaar. Kortaf zelfs, als iemand die gewend is met autoriteit te spreken. Hij sprak accentloos Nederlands en het leek mij iemand van middelbare leeftijd.

De man die binnenkwam was een jood, en wat voor een. Boomlang en ongeveer zo breed als de deur, helemaal in het zwart gekleed, inclusief een zwarte hoed. Onder die hoed haar dat in lange slierten voor zijn oren hing en zo'n typische lange baard met een V in het midden geknipt, zodat er links en rechts puntige uiteinden ontstaan. Duidelijk een jood die er voor uitkwam dat te zijn. Niet uit trots of om reacties van anderen uit te lokken, maar gewoon omdat hij dat nu eenmaal was. Waarschijnlijk orthodox, fundamentalistisch of misschien wel een combinatie daarvan. Het type dat ik associeerde met hechte families, avondeten waarbij wordt gebeden en men nog samen aan tafel zit, met vader aan het hoofd, om te genieten van een echte maaltijd in plaats van allerlei fastfood- en kant-en-klaar rotzooi. Met een vrouw die nog de traditio- nele rol vervult van echtgenote en moeder voor de kinderen. Met seks die goed en vertrouwd is, zo natuurlijk dat er niet over wordt gesproken.

Ik voelde iets van afgunst over de kracht van hun geloof. Het gebrek aan twijfel over de juiste levenswijze. Aan de andere kant: ik ben afkerig van extreme overtuigingen. Of het nou fundamentalistische moslims zijn, leden van de verdwenen Communistische Partij Nederland of dit soort joden: er komt altijd gedonder van. En het ergste is dat ze geen berouw ken- nen als het een bende wordt. Ze hebben immers het gelijk aan hun zijde en hoeven zeker tegen mij en hun medeburgers geen verantwoording af te leggen. Dat doen ze wel tegenover hun god.

Misschien kwam het door al dat zwart, maar ik vond dat hij er ongezond bleek uitzag. Vast geen strandtype, dat zou wel verboden zijn. Ik stond op en hij kwam naar me toe lopen.

'Bent u meneer Havix?'

Ik herkende zijn stem. 'Ja, inderdaad.'

Hij gaf mij een stevige hand en zei: 'Mijn naam is Raw Lei- mann.'

'Gaat u zitten,' zei ik uitnodigend.

'Kan ik u iets te drinken aanbieden?'

'Ja, koffie graag, met een glas water.' Hij trok zijn jas uit en zette zijn hoed af, om die vervolgens te vervangen door een keppeltje.

Ik liep naar de bar en terwijl ik daar stond te wachten op mijn bestelling bekeek ik hem nog eens goed. Ik had zelden ie- mand gezien die zo kaarsrecht op zijn stoel zat en al helemaal niet in dit café. Alles aan hem straalde uit dat hij misschien wel zou kunnen breken maar zeker niet zou buigen. Pats, gebroken, in tweeën, met een geweldige knal, maar zonder ook maar een millimeter te hebben meegegeven. Ik zou niet graag in de buurt zijn als dat gebeurde.

Nadat ik met onze bestelling terugkwam, stak hij direct van wal.

'Mag ik u vragen eerst iets over uzelf te vertellen, voordat ik u zeg waarom ik contact met u heb opgenomen?'

Ik vertelde hem kort iets over mijn professionele achtergrond en het soort opdrachten dat ik zoal had uitgevoerd, overigens zonder in details te treden. Vertrouwelijkheid staat bij dit werk centraal en ik wist dat ook hij dat straks van mij zou vragen. Als we tenminste tot zaken zouden komen, en dat hing niet alleen van hem af. In de loop der jaren was ik steeds selectiever geworden met de zaken die ik aannam.

'Bent u meestal succesvol?' vroeg hij toen ik was uitgesproken. Hij had me de hele tijd al strak aangekeken, maar nu keek hij nog intenser. Alsof hij probeerde mijn gedachten te lezen.

'Ja.' En zonder mijn ogen neer te slaan voor zijn priemende blik voegde ik eraan toe: 'Ik kies alleen maar zaken waarvan ik instinctief voel dat ik ze kan oplossen. Hoe simpel of ingewikkeld ze ook lijken, mijn instinct laat me maar zelden in de steek bij die keuze.'

Hij dacht even na over mijn antwoord en leek toen een beslissing te hebben genomen.

'Ik leid ons familiebedrijf,' begon hij. 'Ruim een week geleden is een van onze medewerkers er met een grote som geld vandoor gegaan. Vanaf dat moment is ook onze dochter spoorloos. Ik wil dat u haar en het geld terugbrengt.'

'Heeft u de politie benaderd?'

'Nee,' klonk het zo resoluut mogelijk, als om er geen twijfel over te laten bestaan dat dat geen optie was. 'We willen dat dit met discretie wordt behandeld. Om direct open kaart met u te spelen: mijn dochter heeft bij die diefstal ook een rol gespeeld.'

Er trok heel kort een blik van ingehouden woede over zijn gezicht; duidelijk een gevoelig punt. En wat bedoelde hij met 'een rol gespeeld'? Was ze slachtoffer of had ze misschien zelf het initiatief genomen?

Hij vervolgde: 'Mijn vrouw en ik houden natuurlijk van onze dochter, maar ze is erg opstandig. Heeft u zelf kinderen?'

Ik antwoordde ontkennend.

'U zult vast weleens hebben gehoord hoe kinderen op die leeftijd kunnen zijn, zo weinig voor rede vatbaar. Als klein kind al had ze een sterke eigen wil, maar nu is ze zo dwars dat we niets meer goed lijken te doen. Dat zal vast wel weer overgaan, maar op dit moment is het lastig en vooral voor mijn vrouw regelmatig erg pijnlijk. We hebben geleerd met die opstandigheid op een bepaalde manier om te gaan. Als een wild paard dat getemd wordt. Als het steigert en weerstand biedt, laat je het touw vieren, om het dan op een ander moment weer heel langzaam en voorzichtig aan te halen. Maar zonder ooit helemaal los te laten, want dan ben je het paard zo goed als zeker voor altijd kwijt.'

Ik verbaasde me over zijn vergelijking. Zou zijn vrouw dat ook zo zien?

'Zo hoopten we haar niet te verliezen, maar nu is ze spoorloos verdwenen.'

Wat hoorde ik in zijn stem: boosheid, ergernis? In ieder geval geen ongerustheid. Hij leek zich geen zorgen te maken, tenminste nu nog niet.

Hij pakte zijn portemonnee en haalde er een foto uit: 'Dit is ze, Ramona. Ze is zeventien op deze foto en die is recent genomen. U heeft natuurlijk een goed gelijkende afbeelding nodig.'

Ik bekeek de foto. Ze poseert voor de camera: een mooi meisje, slank, gemiddelde lengte, kleine borsten, een fijn gezicht met opvallende jukbeenderen. Ze heeft iets jongensachtigs. De pose is nonchalant en zelfverzekerd; een meisje dat gewend is aan belangstelling.

Het kostte hem zichtbaar moeite om tegen een vreemde zo open over zijn dochter te praten en zelfs een foto te moeten laten zien. Om van onderwerp te veranderen legde ik die op de tafel tussen ons in en vroeg wat voor soort bedrijf het was waaraan hij leiding gaf.

'Ik ben directeur van een holding, Kalisz International Trading Company, die eigenaar is van een aantal verschillende werkmaatschappijen. Al die bedrijven handelen in een of meerdere metalen. En dan moet u niet denken aan de bekende, zoals zilver, goud en koper. De meeste van de metalen waarin wij zijn gespecialiseerd zijn voor de leek totaal onbekend: vanadium, selenium, iridium, cobalt, osmium, prometheum.'

Zonder trots, maar zelfverzekerd voegde hij eraan toe: 'Dat doen we al meer dan honderdvijftig jaar. De naam Kalisz is de naam van een dorp in Polen, de geboorteplaats van mijn overgrootvader, die het bedrijf is begonnen. In sommige van die markten zijn wij de grootste speler van de wereld. Toch kent bijna niemand onze naam en dat willen we graag zo houden. Ook dat is een reden waarom we de politie niet willen inschakelen.'

Wijzend naar mijn mobiele telefoon zei hij: 'De kans is groot dat de coltan die in uw telefoon is verwerkt via ons is verhandeld.'

Coltan? Wat ik ervan wist was dat het een metaal was dat in Congo werd gewonnen en dat op zijn zachtst gezegd een schimmige reputatie had. De prijs ervan was de afgelopen jaren explosief gestegen, met als gevolg dat allerlei lokale warlords, onder het mom van bevrijdingsbewegingen, en zelfs legers uit omringende landen, er bloedig om vochten. De lokale bevolking werd gebruikt als slaven om het uit de grond te halen. Het was inmiddels zo'n bende geworden dat het in de pers al 'Afrika's Eerste Wereldoorlog' werd genoemd.

Toen ik liet blijken iets van de reputatie van dat spul te kennen, keek Leimann me scherp aan, zonder enige blijk van waardering voor mijn kennis.

'Ja dat klopt,' zei hij, 'maar ik verzeker u dat wij op zuiver legale wijze werken. Wat u overigens niet in de kranten leest, is dat de metalen waaruit coltan bestaat, tantalium en columbium, ook voor allerlei andere zaken worden gebruikt die we inmiddels niet meer zouden kunnen missen.'

Er was voor het eerst iets onvriendelijks in zijn stem gekropen. Hij zou wel gewend zijn dat de mensen in zijn omgeving simpelweg deden wat hij vond dat er moest gebeuren, zonder discussies en in zijn ogen onnodige vragen.

Om terug te keren naar ons onderwerp vroeg ik: 'Hoe is de fraude in zijn werk gegaan?'

Hij aarzelde even en keek kort om zich heen, alvorens van wal te steken: 'Hoewel de verschillende werkmaatschappijen van de holding zelfstandig opereren en zelf verantwoordelijk zijn voor het behalen van hun winstdoelstellingen, worden de financiële zaken centraal afgewikkeld, vanuit een *dealingroom* in ons hoofdkantoor in Amsterdam. Inkomende en uitgaande geldstromen worden daar zo goed mogelijk op elkaar afgestemd en overtollige liquide middelen worden belegd. Vrij ingewikkeld werk, want we proberen als bedrijf zo min mogelijk onnodige risico's te lopen. Dan moet u denken aan de risico's van wisselkoersfluctuaties, maar ook die van transacties die op verschillende tijdstippen plaatsvinden. Die worden door onze *treasury*-afdeling zo goed mogelijk afgedekt. Met termijncontracten, valutaopties, *swaps* en dat soort instrumenten. De medewerker die fraude heeft gepleegd heeft een bepaalde constructie opgezet om zo geld te laten verdwijnen. Ik kan u op dit moment niet meer vertellen over hoe dit precies in zijn werk is gegaan. Niet voordat ik zeker weet dat u deze zaak zult behandelen. Overigens zullen dit soort details voor u niet erg interessant zijn.'

Dat was voor mij nog maar de vraag. Misschien wel, misschien niet. Nu in ieder geval niet, want ik moest eerst een overzicht krijgen van wat er was gebeurd.

'Wie was die medewerker?'

'Iemand die pas een jaar of twee bij ons werkte, een jong iemand: Ernst Jimmink. Tot dusver heeft hij zijn werk steeds uitstekend gedaan. Er wordt bij ons niemand aangenomen zonder dat ik die persoonlijk heb gesproken, en hij maakte op mij een uitstekende indruk. Serieus, intelligent en met een groot verantwoordelijkheidsgevoel.' Op een korzelige toon voegde hij eraan toe: 'Tenminste, dat leek toen zo. Dat ik mij zo heb vergist reken ik mezelf aan.' Hij zweeg even, alsof hij zich nogmaals afvroeg hoe dat had kunnen gebeuren. 'Iedereen was over hem te spreken. Het enige dat je achteraf over hem zou kunnen opmerken is dat hij nogal gesloten was en zich afzijdig hield. Hij ging bijvoorbeeld zelden mee om gezamenlijk te lunchen, maar ging liever wandelen om een frisse neus te halen. Dat werd geaccepteerd, want hij was heel goed in zijn werk.'

'En het geld? Ik neem aan dat u eerst heeft geprobeerd het geld te traceren.'

Hij keek weer even om zich heen, met een geïrriteerde blik. Als het aan hem had gelegen, hadden we vast op een andere plaats afgesproken.

'Ja, dat klopt. U moet weten dat bij ons regelmatig transacties in cash plaatsvinden. Vooral Afrikanen willen contant betaald worden. Voor een bepaalde leverancier moest dat in Zwitserland gebeuren. Wij maakten dan geld over naar een rekening van ons in dat land en daar nam ik of een van mijn naaste medewerkers het persoonlijk op, om het vervolgens aan de handelspartner uit te betalen. Uiteraard pas als we zeker wisten dat de metalen daadwerkelijk waren geleverd. In dit geval is het geld daar opgenomen. Dat is het enige dat we weten, vanaf daar loopt het spoor dood.'

Hij leek zich bij het vertellen hiervan zeer ongemakkelijk te voelen. Ik had wel een idee waarom, maar moest het vragen: 'Aan wie heeft de bank daar het geld uitbetaald?'

Het bleef even stil. Toen hij antwoordde, klonk er onder-drukte woede in zijn stem door.

'Het geld is opgenomen door Ramona; ze gebruikte een door mij ondertekende machtiging, met een valse handteke-ning. Bij de bank vermoedde men geen kwade opzet, want toen ze om haar paspoort vroegen zagen ze natuurlijk dat het om mijn dochter ging. Ondanks dat is de procedure zo dat de bank belt om de betaling te confirmeren, waarbij door ons dan een cijfercode moet worden afgegeven. Die procedure is keurig gevolgd. Ik denk dat Jimmink het op de een of andere manier zo heeft weten te regelen dat het telefoontje bij hem te-rechtkwam. Hij heeft de code afgegeven en zo bevestigd dat het bedrag betaald kon worden. Volgens de bank is hij zelfs zo brutaal geweest om de betreffende employee te vragen of hij aan mijn dochter wilde doorgeven dat ze mij later die dag moest bellen.'

Dit was inderdaad niet een probleem dat hij graag aan de politie uit zou willen leggen, om vervolgens nog maar af te wachten of die deze zaak op zou kunnen lossen.

'Heeft u zelf enig idee waar ze zouden kunnen zijn?'

Hij ging langzaam met een enorme hand door zijn baard en schudde bedachtzaam nee.

'Mijn vrouw en ik hebben ons dat natuurlijk ook afge-vraagd, maar we weten het niet. Ze zou overal kunnen zijn. Ze hield van reizen en ze ging in het verleden ook weleens met mij mee op zakenreis. Hoe verder weg en avontuurlijker, hoe lie-ver het haar was.'

'En de jongen? Ik neem aan dat u contact heeft opgenomen met zijn ouders?'

'Zijn ouders leven niet meer. Hij woonde bij zijn oudtante. Die heb ik inderdaad gesproken. Ik ben bij haar langsgegaan, maar zij wist ook van niets.'

Hij twijfelde even, alsof hij nog iets wilde zeggen.

Ik overwoog om door te vragen maar besloot dat het voor dit moment voldoende was.

'Ik wil erover nadenken. Ik bel u morgen aan het einde van de middag terug om te laten weten of ik uw opdracht aanneem. Is dat wat u betreft in orde?'

'Ja. Ik wacht uw telefoontje af. U kunt me hier bereiken,' zei hij terwijl hij een visitekaartje uit zijn portemonnee haalde.

Hij wilde al opstaan toen ik zei: 'Ik heb nog twee punten. In de eerste plaats wil ik graag het adres en het telefoonnummer van die oudtante van Jimmink.'

Hij schreef het op de achterkant van zijn visitekaartje en keek me vervolgens vragend aan.

'In de tweede plaats lijkt het me goed als u nu al weet wat de kosten zijn van mijn diensten. Dat is heel simpel: ik werk op basis van no cure, no pay. U betaalt een *fee* als ik erin slaag het geld te traceren en uw dochter terug te brengen. Lukt het me niet, dan kost het u niets.'

'En wat is de fee die u vraagt?'

'Bij dit soort gevallen waarbij ik ook ontvreemd geld moet traceren, bereken ik een percentage van het vermiste bedrag. Om hoeveel geld gaat het?'

Hij aarzelde even, maar antwoordde toen: 'Ruim 2,7 miljoen euro.'

Ik liet op geen enkele manier blijken of ik dat veel of weinig vond en na een korte stilte zei ik: 'Dan moet u rekenen op vier procent.'

Hij keek me verbaasd aan.

'Dat is een hoop geld. Bent u dat waard?'

Ik pakte de foto van zijn dochter die nog steeds tussen ons op tafel lag en gaf hem die terug. 'U stelt de verkeerde vraag,' zei ik.

'Pardon?'

'Is uw dochter dat waard?'

Ik had eraan toe kunnen voegen dat ik aan de verzekerings-maatschappijen waarvoor ik werkte dezelfde fee berekende, en ze maar al te graag betaalden als ik de verdwenen goederen had weten te traceren. Maar ik liet het erbij: hij kon het accepteren of niet. Er viel niet te onderhandelen, zeker niet bij een zaken-man die waarschijnlijk gewend was zelf tot op het bot te gaan.

Hij reageerde op mijn opmerking zonder ook maar enige emotie te tonen. Hij stond op, trok zijn jas aan en verving zijn keppeltje weer door zijn hoed. Pas toen keek hij mij aan en vroeg nonchalant: 'Wat doet u overigens als een opdrachtge-ver van u na geleverde diensten weigert te betalen?'

'Ik moet u zeggen dat me dat eerlijk gezegd nog nooit is ge-beurd. Mocht me dat toch overkomen, dan stuur ik geen in-cassobureau of deurwaarder bij u langs. Dan kom ik zelf. Elk mens is ergens kwetsbaar. Hoe dichter ik bij u kom, en dat is als ik besluit voor u te gaan werken onvermijdelijk, hoe meer ik erin zal slagen ook bij u zo'n plek te vinden.'

Op zijn gezicht verscheen een koude glimlach. Hij gaf me een hand en zei: 'Dat is iets dat ik helemaal met u eens ben: elk mens is ergens kwetsbaar. U weet nu al iets meer van mij, maar ik vraag me af wat uw achilleshiel is.'

Het voelde alsof mijn hand klem zat in een bankschroef.

'Tot ziens, ik hoor graag van u.'

Pas toen liet hij los.

Ik bestelde nog een kop koffie en ging weer zitten. Wat hij had gezegd was waar: het was geen type om te liegen. Alleen: had hij mij wel alles verteld? Hij had me niet duidelijk gemaakt hoe het kon gebeuren dat zijn dochter niet alleen maar ver-dween, maar hem bovendien, en duidelijk met voorbedachten rade, zoveel geld afhandig had gemaakt. Dat ging toch wel be-duidend verder dan wat er normaal onder opstandig gedrag wordt verstaan. Misschien begreep hij dat zelf ook niet.

Opvallend was dat hij van de jongen geen negatief beeld had

geschetst, eerder het tegenovergestelde. Hij had niet gesuggereerd dat het een geval was van een oudere jongen die een jonger meisje het hoofd op hol had gebracht, om haar vervolgens te gebruiken voor een plan om geld te stelen. Het kon net zo goed andersom zijn.

Toen ik afrekende keek Bert, de barman, die zo nu en dan vanuit zijn ooghoeken mijn gesprekspartner had geobserveerd, me nieuwsgierig aan. Hij werkte hier nog niet zo lang maar had vast al gehoord wat mijn beroep was. Dat was geen geheim en hij zou zich wel afvragen wat ik met deze bijzondere bezoeker had besproken.

Toen ik de deur opende, merkte ik pas dat het nog harder was gaan regenen. Hoewel de ochtend al ten einde liep, wilde de schemer maar niet wijken. Als er al iets buiten mezelf was dat me op zou kunnen vrolijken, dan ontging me dat in ieder geval volkomen. Zelfs de natuur had geen zin om het licht echt aan te doen, alsof we deze dag maar beter konden overslaan.

Ik zette de kraag van mijn jas op en zwaaide kort naar de eigenaar van het Griekse restaurant aan de overkant, die met een wit bakkersschort en opgestroopte mouwen voor het raam deeg stond te kneden. Het zweet stond op zijn voorhoofd. Over de op het raam geschilderde Akropolis liepen dikke regendruppels naar beneden. Ik vroeg me even af wat een Griek zou vinden van onze Nederlandse herfst. Hij leek me hier volkomen misplaatst en die gedachte stemde me nog somberder.

II

Die nacht werd ik badend in het zweet wakker. Ik had een nachtmerrie gehad, maar zoals zo vaak wist ik niet meer waarover. Ik lag te draaien en probeerde mijn gedachten uit te schakelen, maar ik kon de slaap niet meer vatten en liep naar de keuken. Met een glas cognac en een beker warme melk ging ik in mijn woonkamer aan tafel zitten.

Buiten was het inmiddels gestopt met regenen. Onder het licht van de straatlantaarns glom alles nog van het vocht. Het was hard gaan waaien, de wind rukte aan de takken van de bomen en bladeren dwarrelden naar beneden.

Ik moest denken aan mijn gesprek met Leimann. Mijn achilleshiel? Die was nu ruim drie jaar geleden gestorven. Dat was mijn vrouw Eileen. De eerste maanden na haar onverwachte dood was het alsof ik verdoofd was. Toen dat voorbij was, ontwaakte ik in het besef dat niets meer betekenis had. Elke handeling leek me absurd en leeg. Ik deed de dingen automatisch en tegelijkertijd was ik me van elke handeling, hoe klein ook, volkomen bewust. In een staat van een soort absolute helderheid registreerde ik al mijn handelingen. Niets ging meer onopgemerkt, zomaar, voorbij. Ik was toeschouwer van mijn eigen leven geworden. Het openen van een brief, een gesprek, koken, een glas dat ik naar mijn mond bracht; ik nam het allemaal waar. Om me voortdurend het volkomen absurde ervan te realiseren. Achter de handeling was niets meer. Ontdaan van zorgen, angst, verwachtingen, hoop, had het leven een bitter stemmende lichtheid gekregen; het was betekenisloos geworden.

De eerste tijd na het overlijden van Eileen probeerden haar familie en vrienden nog contact met mij te onderhouden. Ze belden of kwamen zelfs langs als ik niet op hun berichten reageerde. Ze hadden zoveel moeite gedaan om met mij over haar te praten, om te vragen hoe het met me ging. Ik had er niet op gereageerd, liet pijnlijke stiltes vallen in gesprekken die ze nerveus op gang probeerden te houden, keer op keer, en uiteindelijk was het steeds stiller geworden. Mijn vrouw was dood en iedereen die me daaraan had kunnen herinneren had ik van mij vervreemd. Aan dat deel van mijn leven was een einde gekomen.

Toen ik op een dag bij mijn huisarts was omdat ik iets wilde hebben tegen de slapeloosheid, had hij mijn verhaal aangehoord en voorgesteld om specialistische hulp te zoeken. Maar dat weigerde ik, zo pertinent dat hij wel begreep dat hij daar niet verder op door moest gaan. De gedachte dat ik tegenover een psycholoog of psychiater mijn gevoelens en gedachten zou uiten was ronduit absurd.

Ik moest er nog maar eens goed over nadenken, in de tussentijd kreeg ik in ieder geval een antidepressivum voorgeschreven: Seroxat, voor een periode van drie maanden, dan moest ik weer terugkomen. Ik moest beginnen met tabletten van twintig milligram, ging dat goed dan kon te zijner tijd de dosis misschien worden verminderd.

Eerst gebeurde er niets, maar na een aantal weken begon het te werken. De pijn en de betekenisloosheid van mijn nieuwe leven maakten plaats voor een gevoel van ruimte, weliswaar niet gevuld met geluk, maar in ieder geval was mijn verdriet draaglijk geworden en leek het meer op de achtergrond te zijn geraakt. In die leegte van tijdelijk onderdrukte of misschien wel voor altijd verdwenen emoties, kon ik nu doen en laten wat ik wilde.

Ik had een opdracht aangenomen en was geleidelijk weer aan de slag gegaan. Ik was even bang geweest dat ik misschien minder goed zou zijn in mijn werk, maar ik merkte dat het tegenovergestelde het geval was. Nu Eileen was verdwenen, was er niets meer dat me afleidde. In mijn eenzaamheid was ik de perfecte jager geworden. Die terugkerende nachtmerries waren het enige signaal dat er ergens in mijn geest nog iets gebeurde dat niet helemaal onder controle was.

Toen ik de volgende ochtend aanbelde bij een statig herenhuis in de Magnoliastraat in Amsterdam, was ik plezierig verbaasd bij de aanblik van de vrouw die de deur opende. Zij was oud, maar haar houding was kaarsrecht, ze keek me aan met een vriendelijke maar onderzoekende blik en gaf me een stevige hand. En het 'komt u binnen' klonk eerder als een bevel dan als een verzoek. Het 'u bent laat' klonk ook niet als dat van iemand voor wie elk bezoek een welkome onderbreking is in een leven waarin niets meer gebeurt. Zelfs haar kleding week sterk af van dat wat zo kenmerkend is voor de meeste bejaarden: kleren die niets meer mogen kosten of die er zelfs als ze duur zijn toch uitzien als goedkope confectiekleding, waarover ongeacht de kleur altijd een grijze waas hangt, en schoenen van een of ander soort kunststof. De oudtante van Ernst Jimmink had een ruim zittende grijze joggingbroek aan met rode strepen aan de zijkant, een keurig gestreken donkergroene blouse van zijde, en aan haar voeten suède mocassins.

Ik had haar al gebeld en gezegd waarom ik met haar wilde praten. Toen we plaats genomen hadden in een enorme woonkamer die stijlvol was gemeubileerd, vroeg ik haar eerst iets over haar neef te vertellen. Ze nam me mee naar een dressoir waarop een groot aantal familiefoto's stond. Van haar man, haarzelf en de kinderen. Haar eigen volwassen kinderen, die zelf ook alweer een gezin hadden, maar ook van Ernst. Nadat ze kort en ter zake had gezegd wie de verschillende personen op de foto's waren, pakte ze een fotolijst op en gaf me die in handen. Het was een portret van Ernst op zijn drieëntwintigste verjaardag. Een knappe jongen met krachtige gelaatstrekken en een grote bos golvend haar, als de manen van een leeuw. Hij keek serieus in de camera en ik vermoedde dat lachen niet zijn eerste natuur was. Toen we weer waren gaan zitten begon ze haar verhaal.

Ernst werd al vanaf zijn zesde opgevoed door zijn oudtante en oudoom, nadat zijn ouders bij een vliegtuigongeluk om het leven waren gekomen. Hij logeerde bij hen toen zij dat bericht kregen. Hij had verder geen andere familie. Zij en haar man, een notaris, hadden drie kinderen, die toen allang volwassen en zelfstandig waren. Toch hadden ze geen moment geaarzeld hem in huis te nemen.

In het begin was het erg zwaar geweest; het verdriet van de jongen om het gemis van zijn ouders was hartverscheurend.

'Weet u,' zei ze, 'Ernst was een kind dat in stilte bezig was met zijn verdriet, hij vroeg nooit om bijzondere aandacht. In de periode vlak nadat zijn ouders waren overleden lag hij 's nachts vaak wakker, in stilte en met zijn ogen open. Toen ik dat eenmaal wist, ging ik altijd even bij hem kijken. Als ik vroeg waaraan hij dacht, zei hij: "Aan papa en mama." Dan liet ik hem vertellen over zijn herinneringen. Dat was alles wat hij toen nog had: herinneringen. Ik ging pas naar mijn eigen bed als hij in slaap was gevallen. Ik vond het idee dat hij daar wakker lag met die gedachten onverdraaglijk.'

Hoewel ze het rustig had gezegd, klonk het verdriet van toen ook nu nog door in haar stem. 'Eigenlijk kun je zeggen dat Ernst vanaf zijn zesde al geen kind meer was. Een kind weet niet wat het woord "definitief" werkelijk betekent, Ernst wist dat wel. Ze zeggen dat de tijd alle wonden heelt, maar dat wil niet zeggen dat er geen littekens achterblijven. Ernst leek altijd bang te zijn voor de kans op onverwacht en slecht nieuws. Dat zag ik ook terug in de manier waarop hij met mensen omging. Hij kon zich wel aan iemand hechten, maar dat ging altijd gepaard met angst. Dat is een wrede werkelijkheid voor een kind.'

Mevrouw Jimmink schudde even haar hoofd, alsof het haar nog steeds verbaasde hoe hard het leven soms kon zijn. Vervolgens vertelde ze dat het na verloop van tijd beter met hem was gegaan. Zij en haar man hielden van Ernst alsof het hun eigen kind was. Nadat haar man twee jaar geleden was overleden, waren zij en Ernst samen achtergebleven. Hij was inmiddels drieëntwintig en zij tweeëntachtig, maar ondanks dat grote leeftijdsverschil was er maar weinig dat ze niet met elkaar konden bespreken. Het was een intelligente jongen en een harde werker, die na een gecombineerde studie bedrijfseconomie en informatica voor het bedrijf van Leimann was gaan werken. Hij was niet alleen gedreven maar ook serieus, soms wel té serieus, vond ze.

Nadat ze nog een keer koffie voor ons had gehaald, besloot ik de gevoeligere onderwerpen aan te snijden. Tot nu toe had ze op een vriendelijke en zakelijke manier met me gesproken. Ondanks haar betrokkenheid leek het bijna de waarneming van een objectieve toeschouwer. Ze was duidelijk gewend zich niet door haar emoties te laten leiden. Zou ze dat straks ook vol kunnen houden?

'Was u op de hoogte van de relatie van Ernst met Ramona, de dochter van meneer Leimann?' vroeg ik.

Ze trok even haar wenkbrauwen op. 'Ja natuurlijk wist ik dat. Ernst had al vaker vriendinnetjes gehad, maar dit was anders. Ik had de indruk dat hij tegen mij minder open was dan normaal.'

'Hoe kwam dat volgens u? Hij was toch juist gewend om met u over van alles en nog wat te praten?'

Ze antwoordde heel kort: 'Schaamte.'

Nu was het mijn beurt om verbaasd te reageren.

Ze ging verder: 'Schaamte om zijn afhankelijkheid van haar. Ernst en ik zijn allebei sterke persoonlijkheden. Nu toonde hij zwakte en hij was daar, althans in mijn bijzijn, beschaamd over. En ik ken hem zo goed dat ik weet dat hij zich daar zelf ook ongemakkelijk onder zal hebben gevoeld.'

'Wat vond u verder van haar?' vroeg ik.

Haar antwoord kwam snel, zonder enige aarzeling: 'Ik vond haar ronduit onsympathiek. De paar keer dat ik haar heb meegemaakt, maakte ze een harde en kille indruk. Ik had ook niet het gevoel dat ze om Ernst gaf. Ze had in ieder geval geen enkele interesse voor de dingen die hem bezighielden. En de feiten hebben me gelijk gegeven.'

'Hoe bedoelt u?'

Opnieuw fronste ze haar wenkbrauwen, alsof ik iets had gemist dat voor de hand lag.

'Zij heeft Ernst gewoon gebruikt om al dat geld van haar vader te stelen. Daarover bestaat bij mij geen enkele twijfel.'

Op een vriendelijke toon zei ik: 'Ik denk dat meneer Leimann dat anders ziet.'

'Ja, meneer Havix, dat zal ongetwijfeld zo zijn. Dat is veel minder pijnlijk dan de mogelijkheid onder ogen te zien dat het misschien zijn eigen dochter was die dit alles heeft beraamd.'

'Maar dat geldt in zekere zin toch ook voor u. U houdt van Ernst.'

Ik had verwacht dat ze misschien wel boos zou reageren op die opmerking, maar in plaats daarvan verscheen er een glimlach op haar gezicht.

'U denkt wellicht dat ik jaloers was omdat er iemand tussen Ernst en mij dreigde te komen. Wel, ik verzeker u dat het daar niets mee te maken had. Ik had juist graag gezien dat Ernst een goede partner zou hebben gevonden. Iemand die van hem hield en dat in zekere zin van mij over zou kunnen nemen. Ik ben immers al tweeëntachtig, straks zal ik er niet meer zijn. Ik vond het een vervelend idee dat er dan misschien wel niemand heel dicht bij hem zou zijn. Ik wilde juist graag dat iemand hem in het hart zou sluiten.'

Ze was even stil, om toen hoofdschuddend te zeggen: 'Maar dit meisje, pas zeventien en dan zo kil en hard. '

Opnieuw schudde ze haar hoofd in ongeloof. Ik besloot dit onderwerp voorlopig te laten rusten en vroeg: 'Wat heeft u afgesproken met meneer Leimann? Ik neem aan dat hij bij u langs is geweest met het verzoek om niet de politie in te schakelen?'

'Ja, dat klopt, maar een verzoek zou ik het niet willen noemen. Hij probeerde me te intimideren. Weliswaar op een beleefde manier, maar toch. Hij liet me weten dat als ik de politie zou informeren, ik dan wel moest beseffen dat ze eerder Ernst dan zijn dochter als de hoofddader zouden zien. Een volwassen man van drieëntwintig die een jong meisje van zeventien het hoofd op hol brengt. En wie is er zo slim om zo'n ingewikkelde diefstal te kunnen bedenken? Hij zei ook nog dat hij alles in het werk zou stellen om dit geval zonder ruchtbaarheid op te lossen en dat hij een particulier detectivebureau wilde inschakelen. Dat heeft hij blijkbaar gedaan, anders zou u hier niet zijn.'

'Nou mevrouw Jimmink,' zei ik met een glimlach, 'zover is het nog niet. Ik ben wel benaderd, maar ik heb de opdracht nog niet aangenomen. De reden dat ik met u praat is juist om te bepalen of ik dat wel of niet zal doen.'

'En, wat denkt u, nu u met mij heeft gesproken?'

Zonder daarop in te gaan, zei ik: 'Ik vind u opmerkelijk rustig onder deze omstandigheden. Het is nogal wat: uw aangenomen zoon is van de ene op de andere dag verdwenen, met een meisje van zeventien, én hij wordt beschuldigd van het ontvreemden van een grote som geld.'

Nu toonde ze voor het eerst emotie. Haar gezicht vertrok in een poging om niet te gaan huilen. Plotseling was ze een oude vrouw, alleen, en opgezadeld met een grote zorg die ze met niemand kon delen. Ik had met haar te doen. Pas toen ze zichzelf weer onder controle had, antwoordde ze: 'Weet u, dat is niet het belangrijkste waar ik me zorgen over maak. Was dat het maar. Ik ben bang dat hem wat overkomt, dat zij hem iets aandoet.'

Diezelfde middag belde ik Leimann. Hij zat blijkbaar op mijn telefoontje te wachten, want ik kreeg zijn secretaresse aan de lijn, die me direct doorverbond. Ik liet hem weten dat ik de opdracht aannam.

Toen ik had opgehangen, kreeg ik opnieuw het onbehaaglijke gevoel dat bij me was opgekomen bij mevrouw Jimmink op de bank. Zij was bang geweest dat haar Ernst iets zou overkomen. Om haar niet nog ongeruster te maken, had ik verder niets gezegd. Maar nu besefte ik opnieuw hoe vreemd het was dat hij zijn oudtante niet even had gebeld nadat hij was verdwenen. Dat paste niet bij het beeld dat ze van hem had geschetst. Uit haar beschrijving kwam een jongen naar voren die dat zeker zou hebben gedaan. Toch had hij geen enkel levensteken gegeven.

III

Toen ik op bezoek was bij mevrouw Jimmink had ik haar natuurlijk gevraagd of zij enig idee had waar haar Ernst zou kunnen zijn. Dat wist ze niet, maar ze liet me wel zijn kamer zien, die opmerkelijk spaarzaam en netjes was ingericht. Het had de onpersoonlijkheid van een hotelkamer.

Het enige dat in het oog sprong was een groot bureau, vol met papieren en boeken. Midden tussen die spullen stond een desktopcomputer met daarnaast een moderne combinatie van kleurenprinter, fax en kopieerapparaat. Het meest opvallend was echter het bijzonder grote, platte beeldscherm, dat een hoop geld moest hebben gekost. Uit de netheid van de rest van de kamer kon ik ook afleiden dat hij de meeste tijd doorbracht aan dat bureau. Na vluchtig doorbladeren van de boeken en papieren zag ik dat ze studiemateriaal bevatten over financiële markten en instrumenten. Een aantal boeken ging speciaal over de handel in metalen.

Ik vroeg haar of ik de computer mocht meenemen om te kijken wat er zoal op stond. En ik informeerde naar zijn hobby's. De inrichting van de kamer gaf daar geen enkele aanwijzing voor. Ze wees naar het bureau en zei dat hij eigenlijk altijd aan het werk was op zijn computer. Hij nam ook weleens iemand mee naar huis, maar hij had maar één echte vriend: Peter Fennema. 'Peter is een aparte jongen, dat zult u wel zien,' zei ze, 'maar ik ben erg op hem gesteld.' Ze gaf me zijn adres en telefoonnummer. Ze gingen regelmatig samen uit, maar meestal trokken ze zich terug op de kamer van Ernst. Ze speelden dan, volgens eigen zeggen, computerspelletjes op internet, tegen andere spelers. Urenlang konden ze zich daarmee vermaken.

Het leek mij een extra reden om eens goed naar die computer te kijken, misschien dat ik daar een aanwijzing kon vinden, iets dat me op het juiste spoor kon zetten.

Toen ik al met de computer onder mijn arm stond, schoot me plotseling iets te binnen. Ik vroeg of Ernst misschien ook nog een draagbare computer had. Ze antwoordde bevestigend en realiseerde zich op hetzelfde moment verbaasd dat we die niet hadden gezien in zijn kamer. We keken voor de zekerheid nog een keer. Ernst had de desktop laten staan, begrijpelijk, maar was niet vergeten zijn laptop mee te nemen.

Na mijn telefoontje met Leimann belde ik Peter Fennema. Zonder alle details te geven, vertelde ik hem dat ik door de vader van Ramona was ingeschakeld om haar terug te vinden. Hij reageerde terughoudend, maar toen ik zei dat ik zijn naam had gekregen van de oudtante van zijn vriend leek dat hem gerust te stellen. Ja, hij wilde wel met me praten, maar ik moest wel beseffen dat ook hij niet wist waar Ernst was gebleven. We spraken af voor de volgende ochtend.

Om mijn werk goed te kunnen doen, onderhoud ik veel contacten: bij de politie, in criminele kringen en in het grijze circuit daaromheen, met collegae, kunsthandelaren, specialisten die je voor bepaalde klussen nodig hebt. Ik koester die relaties, omdat ik zonder hen niet met succes mijn werk kan doen. Meestal zijn die contacten zuiver zakelijk, maar een enkele keer is er sprake van vriendschap. Centraal staat dat we elkaar nodig hebben, op de een of andere manier, dat de dienst die nu wordt gevraagd op een goede dag zal worden terugbetaald, en verder laten we elkaar met rust.

'Netwerken' heet dat vandaag de dag en het beperkt zich al-lang niet meer tot het werk. Wie succesvol wil zijn, moet net-werken en dat vindt zo gepland plaats, dat de indruk ontstaat dat achter elke relatie eigenbelang schuilgaat en niets meer toevallig is. Direct na de onschuld, naïviteit, onzekerheid, on-wetendheid en kwetsbaarheid, ja, vooral kwetsbaarheid, van de jeugdjaren komt het egocentrisme van de jonge volwasse-nen. Zelfs bij de meest intieme relaties lijkt liefde vooral de liefde voor zichzelf te zijn. De god van vandaag, de maat van alle dingen, is het eigen Ik. Alles is daaraan ondergeschikt. Het zich verliezen in een ander is iets geworden voor naïevelingen en dromers.

Met die sombere gedachten zat ik die ochtend in een café in de binnenstad te wachten op Peter Fennema. Ik was aan een raam gaan zitten dat zo ongeveer het formaat had van een bio-scoopscherm en keek naar de donkere wolken die met hoge snelheid door de lucht trokken. Uit die wolken vielen zo nu en dan zware buien, die net zo plotseling stopten als ze waren be-gonnen.

Het was niet het soort café waar ik gewoonlijk heen ging, maar een grand-café. Een mooie menukaart, vooral de brood-jes, en prima koffie, maar met verkeerd publiek. Eigenlijk net als Frankrijk: lekker eten en drinken, maar jammer dat er Fransen wonen.

Ik zat met mijn rug naar een tafel waaraan een gezelschap van twee jongens en twee meisjes zat te ontbijten. Uit de ge-sprekken leidde ik af dat het twee stellen waren. Ze hadden het alle vier over zichzelf. Ieder voor zich en God voor ons allen. Niemand die vroeg hoe het met de ander ging, want eenieder vertelde dat al uit zichzelf.

Juist toen dit alles me enorm begon te ergeren en ik ergens anders wilde gaan zitten, werd ik aangesproken.

'Bent u meneer Havix?'

Ik zei ja en de jongen stak zijn vrije hand naar me uit, in de andere hield hij een skateboard dat nat was van de regen: 'Ik ben Peter Fennema.'

Mevrouw Jimmink had niets te veel gezegd: de jongen die voor me stond was apart. Een dikke bos donker haar, dat nu nat op zijn hoofd plakte, lange bakkebaarden tot aan zijn kaken en een lange, dunne sik. Hij was gekleed in de typische outfit van een skater: een ruim zittende broek tot net over de knie, een eenvoudig trainingsjack en versleten sneakers. Toen hij zijn natte trainingsjack uitdeed, verscheen daaronder een wit T-shirt met daarop in grote letters NO LOGO. Aan zijn lijf duidelijk geen merkkleding.

Hij deed zijn rugzak af en ging tegenover me zitten. Hij veegde met beide handen zijn natte haar naar achteren en keek me toen nieuwsgierig aan.

'Bedankt dat je wilde komen,' zei ik en wees toen naar zijn broek en blote benen: 'Heb je het niet koud zo?'

'Nee hoor, ik heb het zelfs warm. Ik ben komen skaten. Ik werk hier vlakbij.'

Ik reageerde verbaasd: 'Is dit je werkkleding?'

Hij moest lachen; een open lach in een expressief gezicht. Het leek me niet iemand waar veel kwaad in zat.

'Waar ik werk maakt het niet uit wat je draagt. Als je maar goed bent. De baas van ons bedrijf is zevenentwintig en komt op een oude scooter.'

'Zo, wat is dat dan voor bedrijf?'

'Het is een IT-onderneming die websites voor bedrijven ontwerpt. Geen simpele uithangborden, maar uitnodigend en agressief gericht op interactieve communicatie.'

'Dat klinkt interessant. En wat doe jij?'

'Ik houd me bezig met wat TT wordt genoemd: *tracking and tracing*. Zegt u dat iets?'

'Ik heb geen idee.'

'Dat is nagaan hoe iemand zich over een website beweegt. Wat het gedrag is van die persoon en hoe je dat kunt verklaren. En natuurlijk vooral: hoe je dat kunt beïnvloeden.'

'Spannend.'

'Ja, het lijkt flitsend, maar het begint me inmiddels te vervelen. Bij alle grote supermarkten weet men dat wat op ooghoogte staat beter wordt verkocht. Elk product staat om een bepaalde reden op een bepaalde plaats. Er wordt niets aan het toeval overgelaten. Feitelijk werkt het bij de inrichting van een website ook zo. Als je dat één keer weet, is alles daarna eigenlijk saai. Ik zoek nu naar een andere baan. Voor al dit soort bedrijven is dat hét probleem. De mensen zijn voortdurend *on the move*; het verloop is enorm.'

'Op zoek naar het grote geld, neem ik aan.'

Hij keek me onderzoekend aan, zich waarschijnlijk afvragend of ik daarmee een oordeel over hem had geveld.

'Ik in ieder geval niet,' zei hij toen. 'Ik hou van verandering. Maar goed, u wilt natuurlijk weten of ik u kan helpen bij het vinden van Ernst.'

We zwegen even, omdat een serveerster onze bestelling kwam opnemen. Hij bestelde thee en een bagel met geitenkaas en honing. Toen hij vroeg of het biologische producten waren, keek het meisje hem aan of ze het in Keulen hoorde donderen. In alle vriendelijkheid ging hij een gesprek met haar aan. Toen ze uitgepraat waren, bestelde ik een kop koffie en stak een sigaret op. 'Een ongezonde combinatie,' zei hij. Het klonk niet verwijtend, eerder alsof hij het beste met mij voorhad. 'Ik ben gek op biologische geitenkaas,' reageerde ik, 'maar ik ben op een cholesterolarm dieet.' Hij fronste zijn wenkbrauwen, maar zei niets.

'Ik hoop inderdaad dat je me kunt helpen,' pakte ik de draad weer op, maar voor ik verder kon gaan verscheen weer die ontwapenende lach.

'U doet toch ook aan tracking and tracing? U duikt toch ook in het hoofd van mensen? Misschien moeten u en ik wel samenwerken. Samen op jacht. Als twee moderne premiejagers. De vader van Ramona betaalt u toch zeker om zijn dochter te vinden? Dat zal wel grof geld zijn. U ziet er niet goedkoop uit en Ramona liet er geen misverstand over bestaan dat haar vader bulkte van het geld.' Hij werd steeds enthousiaster, maar zijn stem klonk schertsend.

'Bedankt voor het compliment,' zei ik. 'Ik zie je al op je skateboard de achtervolging inzetten hier in de binnenstad, terwijl ik met mijn auto vaststa in het verkeer. Ik zal over je aanbod nadenken. Misschien kun je me nu al op weg helpen. Je vriend is zoek en zijn oudtante maakt zich heel veel zorgen.'

Hij keek plotseling serieuzer. 'Ik mocht Ramona niet, maar Ernst was tot over zijn oren verliefd. Ik heb toen hij haar net kende een paar keer iets over haar gezegd. U kent het wel, zo van: Wat zie je in godsnaam in zo'n meisje. Maar hij reageerde zo fel dat ik daar snel mee ben gestopt. Hij was overduidelijk supergevoelig voor wat voor kritiek dan ook. Ik vond het eerlijk gezegd ook beneden mijn niveau om haar een issue te laten zijn in onze vriendschap. Ik gaf die relatie ook geen lange toekomst. Waarom ruzie maken over iets dat straks alweer achter ons zou liggen?'

'Wat bedoel je met: zo'n meisje?'

'Ja, hoe zal ik dat zeggen. Van de dingen waarmee Ernst en ik ons bezighielden, had ze totaal geen verstand en het interesseerde haar ook niet. Wij op onze beurt hadden bijvoorbeeld niet bijster veel interesse voor geld, en dat had Ramona wel. Ze had het er altijd over dat haar vader zoveel geld had maar haar tegelijkertijd heel kort hield. Misschien zou je het zo kunnen zeggen dat het bij haar over geld ging en bij ons juist over ideeën. Inspiratie, enthousiasme, geloven dat een hoop dingen anders en beter moeten.'

'Dat klinkt nogal idealistisch.'

'Vindt u? Dus we moeten alles wat er mis is in deze wereld maar accepteren? Maar daar zal ik u maar niet mee lastig vallen. Daar gaat u Ernst niet mee vinden.'

Hij zei het nogal kortaf. Werd ik al in één of ander hokje geplaatst, was het niet de moeite waard om mij ook van dat geloof te overtuigen? Ik had niet zoveel zin om er verder op in te gaan. Eén ding wilde ik nog wel graag van hem weten: 'Wat zag hij dan in haar als ze volgens jou zo weinig gemeen hadden?'

'Seks. Ze had een heel erotische uitstraling.'

'Een heel erotische uitstraling,' herhaalde ik. Terwijl ik hem aankeek, begon hij te blozen. Ik vermoedde dat hij zelf ook niet ongevoelig was geweest voor haar uitstraling.

'Ik heb ze in ieder geval nooit op een goed gesprek kunnen betrappen,' zei hij cynisch.

'En wat zag zij in hem, denk je?'

'Dat is een goede vraag. Ernst is een mooie jongen om te zien, maar verder weet ik het eigenlijk niet. Ik heb daar eerlijk gezegd nooit zo over nagedacht. Ik ging er gewoon van uit dat zij hem heeft gezien bij het bedrijf van haar vader. Dat hun relatie zo is begonnen.'

Hij zei het op een nonchalante manier, maar ik had het gevoel dat hij iets probeerde te verbergen. Hij leek plotseling nerveus en minder op zijn gemak.

'Heb je enig idee waar ik ze zou kunnen vinden?'

'Waarom is dat eigenlijk belangrijk?' was zijn wedervraag. 'Vroeg of laat komen ze wel weer terug. Ze zullen wel ergens samen in bed liggen. Waar maakt haar vader zich zo druk om?'

'Hij is erg boos, zijn vrouw waarschijnlijk erg ongerust en jouw vriend wordt gezien als hoofdschuldige. Het is nog net geen ontvoering, maar het is wel zo dat een jongen van drieëntwintig er met een meisje van zeventien, een minderjarige dus, vandoor is. Zoiets lijkt me ook ongebruikelijk binnen de joodse gemeenschap waar de familie Leimann deel van uitmaakt. Maar misschien het allerbelangrijkste voor jou: zijn oudtante maakt zich echt zorgen. Zijn dat genoeg redenen?'

Als reactie op de scherpte in mijn stem antwoordde hij bedrukt: 'Ja voor haar is het wel heel vervelend. Dat is ook iets dat ik niet begrijp, dat zij niets van hem heeft gehoord. Hij is gek op haar.' Hij schudde kort zijn hoofd in ongeloof.

Ik kreeg hetzelfde onbehaaglijke gevoel als toen ik met mevrouw Jimmink had gesproken. Ernst had iets gedaan dat volgens de twee mensen die hem waarschijnlijk het beste kenden helemaal niet bij hem paste.

'Veel geld zullen ze niet hebben, dus ze zullen binnenkort vast wel weer opduiken. Zij kreeg geloof ik nog zakgeld van haar ouders en Ernst zal ook niet al te veel hebben.'

Het klonk alsof het hem niet erg interesseerde. Als het van het geld afhing hoefde ik niet veel hoop te koesteren. Met een bedrag van 2,7 miljoen euro konden ze voorlopig alles doen wat ze maar wilden. Ik had het idee dat ik met Peter Fennema nu niet veel verder zou komen.

'Wil je er nog eens goed over nadenken?' vroeg ik. 'Als je iets te binnen schiet, hoor ik het graag.' Ik stond op en bedankte hem.

Terwijl hij wegliep bedacht ik dat ik hem wel mocht. Hij zou waarschijnlijk een goede vriend zijn voor Ernst Jimmink. In ieder geval iemand die zijn mond wist te houden, want één ding stond als een paal boven water: hij wist meer dan hij mij had verteld. Zijn gebrek aan belangstelling: 'Ach, ze duiken binnenkort vast wel weer op,' was geveinsd en paste ook niet echt bij hem. Hij wist iets. En waarom reageerde hij zo vreemd toen ik had gevraagd wat zij in Ernst zag?

Die middag begon ik de computer van Ernst Jimmink aan een onderzoek te onderwerpen, maar ver kwam ik niet. Hij bleek beveiligd met een password. Voor een kenner waarschijnlijk een eenvoudige hindernis, en gelukkig kende ik zo iemand.

Nadat ik de computer had afgeleverd, besloot ik uit eten te gaan. Toen ik na die maaltijd aan de koffie met likeur zat, hief ik kort het glas op Ramona en Ernst: de jacht was begonnen. Op dit moment leken ze van de aardbodem verdwenen, ze zouden overal kunnen zijn en ik had nog geen enkel aanknopingspunt. Maar hoe lang zouden ze het kunnen volhouden om niets van zich te laten horen?

IV

Vrijwel niets is wat het lijkt. Ik had gedacht dat Eileen en ik samen zouden blijven, voor altijd. Of misschien moet ik zeggen dat ik niet beter wist: zo naïef was ik. Nu zou ik glimlachen om zoveel onwetendheid. We hielden van elkaar en wat zou daarin verandering kunnen brengen? Totdat ze plotseling was verdwenen. We hadden niet eens afscheid kunnen nemen. Vooral dat laatste: van het ene op het andere moment waren we voor altijd van elkaar gescheiden, zonder dat daar ook maar één woord over was gesproken. Zoiets definitiefs tegenover de achteloosheid waarmee het ons was overkomen, zonder aankondiging, zonder verklaring, zonder reden. Ze had me een kus gegeven en gezegd: 'Tot vanavond. Als het later wordt dan bel ik.'

Met haar dood was in één klap alles volstrekt onbelangrijk geworden. Afhankelijk van mijn stemming keek ik met verwondering of afkeer naar al die mensen die zich, goed beschouwd, druk maakten om niets. In het begin werd er op die houding van mij nog begripvol gereageerd, maar al snel werden de reacties korzeliger. Hoewel het nooit hardop werd gezegd, voelde ik dat ik werd gezien als iemand die na een groot verlies bitter en nihilistisch was geworden.

Nu zoveel me zinloos leek, merkte ik dat ik meer waardering en interesse had gekregen voor mensen met een echte passie, die ergens door waren geobsedeerd en die het koud liet wat anderen daarvan vonden. Een van de voordelen van mijn werk was dat ik regelmatig met dat soort mensen in aanraking kwam.

Patrick Hatherall was zo iemand. Hij had zelfs twee passies, en voor een buitenstaander hadden ze niet verder van elkaar verwijderd kunnen zijn: zeldzame orchideeën en de Phacochoerus Aethiopicus, beter bekend als het Afrikaanse wrattenzwijn. Zo veelvuldig als dat beest werd aangetroffen in de wildparken van het Afrikaanse continent, soms nam het de vorm aan van een plaag, zo zeldzaam waren ze in de villawijk in Overveen, waar Patrick Hatherall samen met zijn Nederlandse vrouw Vera een kapitaal landhuis bewoonde.

Ik had hem leren kennen via zijn vrouw. Zij verzamelde kunst en was bij een veiling het slachtoffer geworden van *chandelier bidding*: het gebruik maken van fictieve kopers om zo de prijs op te drijven. Achteraf werd ze daarover getipt, maar toen ze naar de politie was gegaan, had die het geval nauwelijks onderzocht. Daar nam ze geen genoegen mee, met als gevolg dat ik werd ingehuurd. Ik had wel succes, en toen ik dreigde de achterhaalde feiten in de openbaarheid te brengen, werd de zaak snel in der minne geschikt.

Als er één sector was waar men dit soort zaken het liefst zo snel mogelijk onder het tapijt veegde om op de oude voet verder te gaan, dan was het wel de kunsthandel. Vervalsingen, valse signaturen, fictieve verhalen over de herkomst van de verhandelde kunst, niet-bestaande bieders, het sjoemelen met echtheidscertificaten: ik had inmiddels geleerd dat er op grote schaal werd gerommeld en dat die sector zich kenmerkte door een totaal gebrek aan zelfreinigend vermogen.

Haar man ontmoette ik voor het eerst toen ik bij hen werd uitgenodigd om dat succes te vieren. Patrick Hatherall was een Brit die zijn hele leven in Kenia had doorgebracht. Zijn familie woonde al generaties lang in Oost-Afrika, verspreid over Kenia, Uganda en Tanzania. Toen die landen nog koloniën waren, hadden ze het er bijzonder goed gehad, maar ook na de onafhankelijkheid waren ze gebleven en hadden ze zich bewonderenswaardig snel aangepast aan de nieuwe omstandigheden.

Patrick Hatherall was weduwnaar toen hij zijn Vera ontmoette. Die was op safari en overnachtte in een lodge die bezit was van zijn familie. Het was liefde op het eerste gezicht, met dien verstande dat Vera niet van plan was in Afrika te blijven. Zodoende was Patrick naar Overveen gekomen, naar het dorp waar Vera een riant huis bewoonde.

Niet lang daarna verhuisden ze in dezelfde lommerrijke wijk naar een andere villa die weliswaar kleiner was, maar wel met een veel grotere tuin. In die tuin, omzoomd door een dichte haag van bomen en struiken zoals men die alleen aantreft in oude villawijken, ging de man die zich meer Afrikaan voelde dan Europeaan aan de slag met zijn twee grote passies. Hij begon met het bouwen van een aantal grote kassen, die hij geleidelijk aan vulde met een enorme variëteit zeldzame orchideeën.

De buurtbewoners vonden het zeer de moeite waard en lieten zich graag rondleiden door iemand die voor hen het typische voorbeeld vertegenwoordigde van een beschaafde Brit uit de hogere milieus. Met zijn prachtige Oxfordaccent, voorkomende gedrag, gevoel voor humor en enorme kennis over Afrika, vonden ze hem een aanwinst voor Overveen en voor hun buurt in het bijzonder.

Die waardering veranderde abrupt toen hij een deel van zijn tuin met een hek afzette en originele Afrikaanse wrattenzwijnen liet overkomen. Beesten die er met hun vier slagtanden, een kop vol wratten, ruige vacht en supergespierde lichaam, dat alleen uit een torso leek te bestaan, bijzonder primitief en afschrikwekkend uitzagen.

De buurt was in opstand gekomen, aanvankelijk voorzichtig, ervan uitgaande dat de zaak vriendelijk kon worden geschikt. Toen dat niet het geval bleek, leidde dat tot verontwaardiging, het zoeken naar medestanders die de zaken wellicht konden beïnvloeden, en uiteindelijk tot juridische stappen.

Patrick Hatherall liet het volkomen koud, hij had in Afrika wel grotere stormen overleefd. Wat hij eraan overhield was een genuanceerde kijk op de geroemde Nederlandse tolerantie: 'Alles mag bij jullie, als het maar minstens één straat verderop is', en zijn vrouw bleef pal achter de man staan van wie ze hield en die voor haar uit zijn geliefde Afrika was gekomen.

'In ons dorp zijn twee zaken de mensen een doorn in het oog,' zei ze tegen me, 'dat is de slechte staat van onderhoud van de joodse begraafplaats en het feit dat mijn man wilde varkens houdt.'

Na die eerste ontmoeting hadden we contact gehouden. Zo nu en dan ging ik bij hem op bezoek, om naar zijn orchideeën en wilde zwijnen te kijken, maar ook om naar zijn verhalen over Afrika te luisteren. Hoewel hij nu op grote afstand van dat continent leefde, was hij bijzonder goed op de hoogte van wat zich daar afspeelde.

De familie Hatherall leidde een zakenimperium dat belangen had in vrijwel alle economische sectoren. De landbouw, met export van koffie, thee, palmolie, vanille; het toerisme, met safariparken, hotels en reisorganisaties; de snel groeiende telecommunicatiesector, met in het bijzonder de mobiele telefonie; het traditionele transportwezen; de financiële sector; en tot slot de ruggengraat van dat alles: de mijnbouw. Volgens Patrick hadden ze contacten in de hoogste kringen en kenden ze iedereen die ertoe deed.

Na de dood van Eileen had Patrick me een aantal keren gebeld om een afspraak te maken. Toen ik daar niet op reageerde, belde hij op een goede dag aan. Zoals hij op de stoep stond voor mijn etage in De Pijp en omhoogkeek toen ik mijn raam openschoof en hem groette, leek hij in die omgeving volkomen misplaatst. Waarschijnlijk voelde hij dat ook zo, maar toch had hij de moeite genomen bij me langs te komen.

Toen hij me uitnodigde om met hem uit eten te gaan kon ik niet weigeren. Het was niet iemand die om de zaken heen draaide, en zonder te vragen hoe het ermee ging, constateerde hij: 'Je ziet er verdomd slecht uit.' En vervolgens: 'Zo was het ook met mij toen mijn eerste vrouw overleed.'

Met een gevoel van schaamte besefte ik dat hij inderdaad een zelfde verlies had moeten verwerken, maar dat ik daar nooit bij had stilgestaan. Toch was zijn opmerking niet bedoeld om het nu te hebben over die gemeenschappelijke ervaring. Hij gaf me geen goede raad: 'Not much you can do about it,' zei hij berustend. Eén ding wilde hij nog wel kwijt: hij had het geluk gehad Vera te ontmoeten.

We zaten die avond lang aan tafel. Patrick Hatheral liet de beste wijnen brengen en ik was langzaamaan in een soort roes geraakt. Ik kon nog wel helder denken, maar het was alsof voor het eerst sinds de dood van Eileen mijn lichaam en geest minder gespannen waren.

Zoals gewoonlijk vertelde hij veel over zijn leven in Afrika, maar hij wilde ook meer van mij weten. Dat moet ook het doel van zijn bezoek zijn geweest: mij laten praten. 'Hoe kom je eigenlijk aan zo'n ongebruikelijke voornaam?' vroeg hij.

Ik antwoordde dat ik die aan mijn vader te danken had en vertelde hoe hij mij dat destijds had uitgelegd.

'Toen ik als kind op school weer eens was gepest met mijn naam en aan mijn vader vroeg waarom ik Jager heette, begreep ik nog niet veel van zijn antwoorden. Hij zei dat het ging om de jacht zelf en niet om de prooi: "Elke sukkel kan een leeuw doodschieten, kijk maar naar ons koningshuis, maar wie kan een spoor volgen, zelfs al voordat het een spoor is?" Hij legde uit dat alles draait om de weg, hoe we die afleggen, en niet om de bestemming. Elk einddoel is uiteindelijk een illusie; wat vandaag wordt gewonnen is morgen alweer verloren. Aan de hand van spannende verhalen die hij zelf verzon, kon hij met heel veel geduld uitleggen wat hij bedoelde. Ik genoot ervan naar hem te luisteren. Hij is ook degene die mij toen ik al wat ouder was op het spoor heeft gezet van het boeddhisme. Soms was hij weken weg, dan ging hij in retraite om te mediteren. Later heb ik die gewoonte van hem overgenomen, hoewel ik het nooit zo lang kan volhouden als hij. Voor mij is een paar dagen achter elkaar in stilte mediteren meer dan genoeg om nieuwe energie te krijgen.

Ik kan me herinneren dat ik een keer bij hem achter op de fiets zat en hij plotseling stopte. We stonden aan de zijkant van de Mozes- en Aäronkerk, in de Jodenbreestraat, en hij wees naar een tekst die iemand daar met witte verf op de muur had geschilderd: "Er is geen weg naar vrede, vrede is de weg." En hij zei: "Dat bedoel ik nou." Tevreden voegde hij eraan toe: "We zijn niet alleen Jager, we zijn niet alleen." De rest van de weg naar huis zat hij te fluiten op de fiets.

Later had ik die uitleg natuurlijk niet meer nodig. Toen was ik de personificatie geworden van wat hij had bedoeld, tenminste: dat dacht ik, totdat Eileen doodging. Misschien ben ik wel zo goed in mijn werk omdat het mij zuiver gaat om de jacht.'

'Daar had je vader groot gelijk in,' zei Patrick instemmend. 'Als ik naar mezelf kijk, ben ik ook niet zozeer trots op wat ik heb bereikt, maar wel op de manier waarop. En dat ik heb gedaan wat ik dacht dat ik moest doen. Aan die herinneringen ben ik ook veel meer gehecht dan aan alle materiële dingen die ik inmiddels bezit.'

Ons gesprek van toen stond me nog helder voor de geest toen ik die ochtend tegenover hem zat. Nadat hij koffie voor ons had ingeschonken, kwam hij ter zake.

'Ik heb navraag voor je gedaan en ik heb wel een paar interessante dingen ontdekt over dat bedrijf van die meneer Leimann. Kalisz International Trading Company is een grote partij op de beurs, ze doen veel in termijncontracten voor metalen, voornamelijk op de London Metal Exchange, zeg maar de Wall Street van de metaalhandel. Ze staan niet bekend als speculanten, maar maken juist gebruik van dat soort contracten om risico's af te dekken. De partij die voor ons handelt op de beurs vertelde dat ze weleens tevergeefs een poging hebben gedaan om Kalisz als klant binnen te halen. Volgens hem omdat de partij die hun transacties afhandelt ook een joods bedrijf is. Het gaat om joden onder elkaar.'

'Het zou wel passen bij het beeld dat Leimann zelf gaf. Ze komen niet graag in de publiciteit,' beaamde ik.

'Ja en daar is natuurlijk niets mis mee. Over ons familiebedrijf hoeft de buitenwereld ook niet te weten wat we precies doen.'

'Oké, daar komen we dus niet veel verder mee. En aan de Afrikaanse kant? Heb je daar iets kunnen achterhalen?'

Patrick had me ooit verteld dat een van de meest opvallende dingen van het zaken doen in die landen was dat iedereen elkaar kende of tenminste van elkaar had gehoord. Met uitzondering van Zuid-Afrika ging het in al die landen om een kleine groep van westerse zakenlui die zaken deed met een andere kleine groep van lokale mensen: de Afrikaanse politici en ondernemers. Juist het feit dat hij had gezegd dat het een klein wereldje was, had me op het idee gebracht hem in te schakelen nadat ik Leimann had gesproken.

'In ieder geval iets waarvan ik denk dat het bijzonder interessant is,' zei Patrick. 'Je zei dat Leimann vertelde dat zij een belangrijke opkoper van coltan zijn. Veel van de handel in dat spul verloopt via Kigali, de hoofdstad van Rwanda. Wij hebben daar zelf geen bedrijven, maar ik heb een partner van ons uit Uganda navraag laten doen. Rwanda en Uganda zijn buurlanden en allebei bij dat gedonder in Congo betrokken. Al dat spul dat in Congo wordt gewonnen, wordt naar Kigali gevlogen en verkocht aan een aantal grote handelaren. Die zitten permanent in het meest luxueuze hotel daar, de Riverside Lodge. Dat is nogal een internationaal gezelschap, met kopers uit onder andere de Verenigde Staten, België, Duitsland, maar ook zelfs uit een land als Kazachstan. Iemand van Kalisz zit daar ook bij. Op zich niets nieuws, want je wist zelf al van die meneer Leimann dat ze ook in dat metaal handelen. Hoe smerig het ook is, er is niets illegaals aan. En de vraag is enorm: zonder coltan zouden onze kleine en lichte mobieltjes niet kunnen worden gemaakt. Maar van Kalisz wordt gezegd dat ze zaken doen voor de Israëlische regering.'

Hij liet even een stilte vallen.

'Coltan wordt namelijk ook gebruikt voor de bouw van kernreactorvaten.'

Hij stopte opnieuw, om mijn reactie te peilen. Ik fronste mijn wenkbrauwen, maar hield mijn mond.

'Volgens mijn contactpersoon wordt Kalisz daar in Kigali, in dat selecte groepje, beschouwd als niet meer dan een dekmantel voor de Israëlische regering. Die zou via Kalisz direct betrokken zijn bij de handel in allerlei strategisch belangrijke metalen.'

Terwijl ik de mogelijke implicaties voor de opdracht die ik had aangenomen, probeerde te overdenken, reageerde ik met een afwezig: 'Toe maar.'

Patrick keek me even onderzoekend aan en zei: 'Met die wetenschap lijkt het me dat je serieus moet overwegen of je wel met deze mensen te maken wilt hebben.'

'Maak je maar geen zorgen. Ik ben niet ingeschakeld om dingen van Kalisz te weten te komen. Het is juist andersom: zij zijn de opdrachtgever.'

Gewend als ik was aan zijn vriendelijke stem werd ik verrast door de bezorgde toon van zijn antwoord. Patrick had zich nog nooit met mijn zaken bemoeid, maar het was duidelijk dat hij me nu waarschuwde: 'Misschien is dat wel iets om je nog bezorgder over te maken.'

Bij het speuren naar Ramona en Ernst had ik voor zover ik nu kon overzien niet veel aan de informatie van Patrick. Maar ik wist nu wel meer van mijn opdrachtgever. Het was me duidelijk geworden waarom Leimann absoluut geen ruchtbaarheid wilde geven aan wat er was gebeurd.

Als ik hem ernaar zou vragen, zou hij het natuurlijk ontkennen. Hij zou op zijn zachtst gezegd vast niet blij zijn als ik die kwetsbaarheid zou blootleggen. Ik besloot om er voorlopig niets over te zeggen. Ik vroeg me af wat bij hem voorrang had: de wens om zijn dochter terug te vinden, haar te vrijwaren van een misdrijf, of het koste wat kost uit de publiciteit houden van de naam Kalisz. Nu begreep ik ook die ingehouden woede beter over wat die twee hadden gedaan. Wat ze zonder dat ze het zelf wisten voor hem op het spel hadden gezet. Kinderen die met vuur speelden.

Of onderschatte ik Ramona en Ernst? Waren ze misschien zo slim en berekenend dat ze juist expres van die zwakte van hem gebruik hadden gemaakt?

V

Na een aantal dagen van nat en kil herfstweer was de somberheid uit de lucht. De zon scheen in een strakblauwe hemel en de wind was gaan liggen. Het was een van die ochtenden waarop alles fris en nieuw aanvoelt, alsof het leven pas begint.

Ik was in alle vroegte gebeld door mijn computerwhizzkid Nico Opaal met het nieuws dat het hem gelukt was om het password te kraken. Hij had al wat op de computer rondgeneusd en wilde me persoonlijk vertellen wat hij was tegengekomen.

Jaren geleden was ik uit interesse naar een bijeenkomst van hackers gegaan. Ik was terechtgekomen op een drassig weiland ergens in een recreatiepark langs de snelweg. Er waren een paar enorme legertenten opgezet, er was voor stroom gezorgd en een voornamelijk zeer jong publiek, bijna allemaal jongens, zat op een provisorische vloer van houten vlonders achter een groot aantal op het oog willekeurig naast elkaar opgestelde en op elkaar gestapelde desktops, laptops, externe modems en printers, temidden van een enorme kluwen van kabels en stekkers.

Ik was aan de praat geraakt met Nico. Samen met zijn vrienden had hij de hobby – overigens was het woord passie een betere omschrijving voor het fanatisme waarmee ze te werk gingen – om in te breken in computersystemen van allerlei organisaties, van bedrijven tot overheidsdiensten. Het ging ze daarbij niet om de informatie, maar om de kick van het kraken zelf. Hoe groter de opgeworpen barrières en hoe ingewikkelder het probleem, hoe liever het ze was. Ze deden het ook niet met de bedoeling om er beter van te worden of om een of ander hoger doel te dienen. Toen ik me daarover toch enigszins verbaasd toonde, verscheen er op het gezicht van Nico een grijns. 'Weet je wie George Mallory was?' vroeg hij. Toen ik nee schudde, antwoordde hij: 'Dat was de eerste persoon die serieuze pogingen deed om de Mount Everest te beklimmen. Weet je wat hij zei toen hem werd gevraagd wat zijn diepere beweegredenen waren om de hoogste berg ter wereld te willen beklimmen?' Op die vraag wist ik het antwoord wel en nu was het mijn beurt om te lachen. 'Because it is there,' zei ik. 'Precies,' antwoordde Nico. 'Wat kan ik daar nog aan toevoegen?'

Nico woonde met een aantal andere studenten in een oud pand in de Spuistraat. Op elke etage werden keuken, toilet en douche gedeeld, verder had iedereen een eigen kamer. Naarmate je daar langer woonde, schoof je door naar steeds betere kamers, om te beginnen beneden, aan de achterkant, in kleine donkere en vochtige kamers, en eindigend in grote, lichte kamers aan de straatkant, op een van de bovenste verdiepingen. Sommigen verdwenen al eerder, maar Nico was een van de bewoners die de reis door het hele pand had afgelegd.

Met een zeker cynisme sprak hij de wens uit later bij een bedrijf ook zo door te kunnen groeien, om uitsluitend op basis van het aantal dienstjaren uiteindelijk de leiding in handen te krijgen. Volgens hem was de kans zo groter dat het bedrijf vakkundig zou worden bestuurd dan wanneer er na allerlei ingewikkelde en verantwoorde procedures een manager werd geselecteerd. Ter onderbouwing wist hij met zichtbaar genoegen te melden dat er elk jaar weer artikelen in de krant stonden waarin werd aangetoond dat de aandelenportefeuille die door een aap was samengesteld het beter had gedaan dan die van ervaren en duur betaalde beleggingsadviseurs. Dat laatste klopte inderdaad, en voor wat betreft de keuze voor de juiste manager: een aap zou in ieder geval minder graaien dan de hoge heren aan de top.

Bij binnenkomst rook het zoals gewoonlijk naar wiet. Volgens hem had het roken daarvan geen negatieve, maar juist een positieve invloed op zijn scherpte als hij achter de computer zat: 'Je moet ergens van loskomen; de mens is verankerd, veel meer dan we ons bewust zijn, maar je moet ook niet te veel zweven. Je moet als Jezus zijn die over het water loopt.'

Dat van die onbewuste verankering van de mens had hij mij op een keer uitgelegd toen ik vroeg wat de tekst betekende die op een muur hing: *You are empowered to remind people they are utterly free.* Die kwam uit een boek van Jack Kerouac, *The Dharma Bums.* Misschien waren we inderdaad wel veel vrijer dan we dachten, hadden we onszelf geketend, om vervolgens te roepen dat we niets anders konden zijn of doen dan wat we deden en wie we waren.

Naast die tekst hing overigens een enorme poster, die hij ergens had gepikt, van een bloedmooie, bijna naakte meid, een reclame van Sloggi voor strings.

Toen hij koffie voor ons had ingeschonken, ging hij achter de computer zitten en zette hem aan.

'Het password was zo gekraakt. Je zet er een computer naast met een programmaatje dat die code kan kraken en hupsakee. Dat is een kwestie van seconden. Zegt "Kurtz" je iets? Dat is het password dat hij heeft gebruikt.'

Hij tikte het in en wachtte even terwijl de computer bezig was op te starten.

'Dit is echt een superapparaat,' zei hij tevreden, 'een turbomachine, retesnel en met alles erop en eraan. Prachtige hardware, maar dat is nog niet alles. Uit de software die is geïnstalleerd kun je opmaken dat degene die hiermee werkte wel verstand heeft van computers. Zie je dit icoontje?' Hij wees met een vinger op het scherm. 'Dat is een zip-programma, daarmee kun je bestanden inpakken en versturen. De gewone kun je gratis downloaden van internet, maar wat hij daar heeft geïnstalleerd is een hele dure. Met dit programmaatje kan hij bestanden nog veel verder in elkaar vouwen en dus sneller versturen. Dat is één, dat kost al wat, maar er is nog een tweede punt: er zit een extreme beveiliging op tegen inbraak. Ik heb het zelf getest en het lukte me niet. Ik heb er uiteindelijk iemand voor moeten bellen. Ik heb wel even op de website van de maker van het programma gekeken, want die wordt gewoon vermeld. Het is een Israëlisch bedrijf, gespecialiseerd in de beveiliging van computerdatabestanden tegen inbraak van buitenaf. Zoveel geld hiervoor uitgeven, brengt mij tot de conclusie dat degene die hiermee werkte waarschijnlijk grote bestanden verstuurde, die heel goed beveiligd moesten zijn.'

Hij leunde achterover in zijn bureaustoel.

'En,' vroeg ik, 'heb je kunnen zien om wat voor soort informatie het gaat?'

'Nou, weet je, dat is super weird. Dit apparaat heeft een harde schijf met een supergroot geheugen, maar er staan bijna geen persoonlijke bestanden op.'

Hij zweeg even, in afwachting van mijn reactie. Hij ging nog verder achterover hangen, met zijn handen achter zijn hoofd gevouwen.

'Dus?'

'Een voorzichtig iemand die iets te verbergen heeft. Ik neem aan dat hij wel zo nu en dan het internet op ging, maar waar naartoe? Normaal gesproken bewaart de *browser* die op de computer is geïnstalleerd onder "Geschiedenis" de adressen van sites die je bezoekt, met een maximum natuurlijk, maar die zijn bij hem niet te vinden. Of hij ging nooit het internet op, of na elke sessie werden die adressen gewist. Ik denk het laatste, want hij heeft ook een programma met de naam X-Cleaner Lite op zijn computer. Dat kun je gratis downloaden van internet en het is gemaakt om zo nodig de sporen van internetgebruik te wissen. Het ruimt bijvoorbeeld ook "cookies" op.'

Ik keek hem vragend aan.

'Dat zijn een soort paspoorten die websites gebruiken om terugkerende bezoekers te herkennen. Hetzelfde geldt voor zijn e-mail: al zijn postvakken zijn leeg. Er is geen enkel bericht opgeslagen. Opnieuw: of hij e-mailde nooit, of hij wiste alles nadat hij berichten had verstuurd. Maar als je nooit e-mailt, wat moet je dan met zo'n super-de-luxe programma ter bescherming bij het versturen van informatie? Super weird.' Op zijn gezicht was een brede glimlach verschenen. 'Gaaf, gaaf.'

'Dat klinkt niet erg hoopvol,' zei ik. 'Is er helemaal niets waar je wat mee kunt? Ik zou verdomd graag willen weten wat hij dan wel op dat apparaat deed. Het stond prominent op zijn bureau en volgens mij werd het vaak gebruikt. Denk je dat ik nu op zoek moet naar diskettes of misschien een cd waarop die informatie is opgeslagen?' Ik was me ervan bewust dat het teleurgesteld klonk. Ik had de stille hoop gehad toch wel iets uit dit apparaat te kunnen halen.

'Ja, dat kun je doen. Dat zou wel iets voor jou zijn. Je bent toch zo'n ouderwetse speurneus? Misschien vind je wel ergens de sleutel van een locker op een of ander station. Of van een kluisje bij een bank. Misschien heeft hij die sleutel wel aan een touwtje om zijn nek. Gaaf idee toch?' Nico had er duidelijk meer plezier in dan ik.

'Wil je nog koffie?' vroeg hij. 'Dan gaan we zo weer verder.' Met een schok kwam hij uit zijn luie positie overeind, als een bokser die opveert uit de touwen. Hij mocht dan zo nu en dan wat sloom lijken, dat was maar uiterlijke schijn.

'O, we zijn nog niet klaar?' vroeg ik enigszins cynisch.

'Nee, kom nou. Straks wordt het pas echt gaaf.'

Toen hij koffie had gehaald en een dikke sigaret had gedraaid, was hij klaar voor de rest van zijn verhaal.

'Kijk, Jager, waar kun je in deze moderne tijden nog meer informatie verstoppen, zodanig dat je er altijd bij kunt?'

Ik begreep waar hij op doelde. 'Op internet?'

'Precies! Je bent warm. Ik dacht dus ook in die richting. Maar waar dan op internet? Waar kan hij inbellen en bij zijn informatie komen, er nog steeds van uitgaande dat er ergens informatie is die hij wil verstoppen?'

'Kom op Nico, geen idee. Roep jij maar, maar hou me niet langer in spanning.'

'Oké. Wat hij volgens mij doet is dat hij zijn informatie opstuurt naar zijn eigen website, ergens op internet. Dat is heel simpel en slim. Waar ter wereld je ook bent: als je kunt internetten, kun je bij die website komen. Hij heeft trouwens geen website bij zijn huidige provider, dat heb ik al nagegaan. Maar waar dan wel? Op zijn computer zijn geen aanwijzingen te vinden.'

Als reactie op mijn fronsende blik verscheen er opnieuw een grote glimlach op zijn gezicht. 'Maar ik heb wel iets anders uitgevonden: als het zo is dat hij informatie wegstuurt, dan moet dat ergens vandaan komen. Ergens moet hij daar iets mee doen. Ik ben eens naar zijn programmaatjes gaan kijken en met uitzondering van één spreadsheet is dat allemaal niet schokkend. Een eenvoudige Word-versie, niet eens de laatste. Maar dat spreadsheet-programma is wel bijzonder. Dat is aangepast, dat is niet standaard meer.' Hij stopte even met praten en klikte naar Windows Verkenner, zocht een file op en klikte dat aan. 'Kijk, hij heeft een programmaatje geschreven dat Excel aanstuurt zodra het wordt gestart. Het ziet er voor jou verwarrend uit, maar hier staat in programmeertaal: "Pak Part1 en plaats dat in kolom 1-15 van een Excel-bestand met de naam Inner Station." Vervolgens moet een Part2 worden gepakt, die in kolom 16-30 moet worden geplaatst. Zo gaat dat door tot

Part6 en kolom 75-90.' Hij klikte snel naar Excel en opende dat. En verdomd: daar stond maar één file, met de naam Inner Station. Hij klikte de file aan en er verscheen een maagdelijk leeg werkblad. Nu nog leeg, maar als ik Nico goed begreep klaar om te worden ingevuld.

'Heel knap Nico,' zei ik. 'En volgens jou worden die zes Part-bestanden ergens op een website bewaard?'

'Yes.' Het was een langgerekt en zeer tevreden 'yes' en vervolgens leunde hij weer achterover in zijn stoel.

'Verder niets?'

'Nee, want hij heeft verder geen sporen achtergelaten. We weten nu dat hij informatie heeft die blijkbaar goed moet worden opgeborgen. En dat zullen wel een hoop cijfers zijn, want hij werkt ermee in Excel. Je zou eens naar zijn bankrekeningen moeten kijken. Als hij een website heeft, moet hij daarvoor hebben betaald. Misschien levert dat wat op.'

Ik knikte instemmend. 'Ja, daar zat ik zelf ook al aan te denken. Zou het kunnen dat hij elektronische betalingen deed?'

'Zou kunnen, maar op deze computer is daar geen aanwijzing voor.'

'Maar stel dat het zo is, kun jij dan bij de bank inbreken en nagaan welke betalingen hij heeft gedaan?'

Nico zat nu weer recht overeind en keek me verwonderd aan. 'Dat is behoorlijk ingewikkeld en link wat je vraagt. Ik zou het ook niet alleen kunnen. Je moet eerst maar eens nagaan of die gegevens misschien niet op een eenvoudigere manier te vinden zijn. Zelfs als je elektronisch bankiert, krijg je toch nog steeds regelmatig bankafschriften thuis.'

'Oké, dat spreken we af. Wat krijg je nu van me?'

Opnieuw die grijns: hij had zich prima vermaakt. 'Niets, ik heb een kopietje van dat zip-programma gemaakt. Vind je toch niet erg hè, Jager?'

Nadat ik afscheid had genomen van Nico belde ik mevrouw Jimmink en vroeg of ik nog een keer mocht rondkijken op de kamer van Ernst. Vergeleken met de kamer van Nico, die vol stond met rommel, viel me weer op hoe weinig spullen Ernst Jimmink in de loop der jaren had verzameld. Ik kon geen mapje met bankafschriften vinden, dat zou ook te mooi zijn geweest. In ordnermappen hield hij wel keurig zijn hele administratie bij. Verzekeringspapieren van een auto, ziektekostenpolis, abonnementen op tijdschriften, garantiebewijzen van de computer en zelfs van zijn horloge, zijn arbeidscontract met Kalisz en andere papieren.

Op zijn bed gezeten las ik het contract met Kalisz, maar ik kon niets bijzonders ontdekken, behalve wellicht dat hij afhankelijk van zijn bijdrage aan de winst van het bedrijf kon rekenen op een bonus. Het enige nuttige dat ik kon vinden was een bankcontract en het bijbehorende rekeningnummer.

Als ik de komende dagen niet op de een of andere manier verder zou komen, moest ik misschien toch Nico nog een keer aan het werk zetten.

Toen ik die avond zat te denken hoe nu verder te gaan met deze magere oogst, werd ik gebeld door mevrouw Jimmink. Ze was gebeld door een meneer uit Brussel, die Ernst wilde uitnodigen voor de presentatie van een rapport. Ze had zijn naam en telefoonnummer genoteerd. Het was ene professor Braeckman, bijzonder hoogleraar in de contemporaine geschiedenis van Afrika. Hij vertelde haar dat hij samen met Ernst had gewerkt aan een onderzoeksproject met betrekking tot de geschiedenis van de Democratische Republiek Congo. Dat was alweer enige maanden geleden afgesloten, maar hij zou binnenkort het eindrapport presenteren en daar wilde hij Ernst voor uitnodigen. Ze waren elke twee weken bij elkaar gekomen in Brussel en Ernst had een belangrijke bijdrage geleverd.

Ik beloofde contact met die professor op te nemen. Mevrouw Jimmink klonk opnieuw bezorgd: waarschijnlijk zou ze zich afvragen waarom Ernst haar nooit iets had verteld over die bezoeken aan Brussel. Het zou haar zeker triest stemmen dat ze blijkbaar toch niet alles wist van haar aangenomen zoon. Wat was er nog meer waar ze niets van af wist?

Ik belde diezelfde avond nog met Braeckman. Mede door het zachte Vlaams dat hij sprak kwam hij bijzonder vriendelijk over, en toen ik hem had uitgelegd waarom ik hem wilde spreken was hij een en al bereidwilligheid mij te ontvangen. We spraken de volgende ochtend af op zijn kantoor in het Koloniënpaleis in Tervuren, vlak bij Brussel. Nadat hij uitgebreid de moeite had genomen mij te vertellen hoe daar te komen, hingen we op. Ik moest me haasten, want ik had die avond nog een afspraak.

VI

Als ik mevrouw Jimmink en Peter Fennema moest geloven was Ramona geen sympathiek iemand. En zelfs haar vader leek eerder geërgerd dan bezorgd over haar verdwijning. Misschien dat de jongen en het meisje die nu tegenover mij zaten in dat beeld verandering konden brengen. Ik had hun namen gekregen van Ramona's vader. Volgens zijn vrouw was dat stel weleens bij hen thuis geweest en trokken ze veel op met Ramona.

Ik ontmoette ze in Leiden, in een soort houten clubhuis met de naam 'Eurodusnie'. Vanuit de trein had ik die naam eerder gezien, in grote letters geverfd op het dak van een vervallen gebouw langs het spoor. Ik had me afgevraagd wat het betekende, het zou wel een of andere anti-beweging zijn. Dat bleek te kloppen. Uit de posters aan de muur maakte ik op dat ze over zo ongeveer alles wel een mening hadden: globalisme, dierenproeven, onroerendgoedspeculanten, de uitwijzing van illegale immigranten, genetisch gemanipuleerd voedsel, noem maar op. Het las als een uitvoerige menukaart om uit te kiezen als je je wilde inzetten voor een betere wereld.

Dit stel had geen keuze kunnen maken en was blijkbaar doorgeslagen naar de andere kant, want ze leken nergens in geïnteresseerd. Ze zagen er allebei onverzorgd uit en droegen vrijwel identieke kleding: een slobbertrui met versleten boorden, een zo ruim zittende broek dat het kruis bijna tussen hun knieën hing, en aan hun voeten legerkistjes, net zo zwart als de rest van hun kleding. De jongen was helemaal kaal, het meisje had kort oranje geverfd piekhaar. Ze had er alles aan gedaan om er zo onelegant en onvrouwelijk mogelijk uit te zien.

Ze keken me aan met een mengeling van argwaan en minachting. Op mijn vragen kwamen verveelde antwoorden, het was bijna uitsluitend de jongen die praatte. De lusteloosheid en ontevredenheid maakten dat hun gezichten, die met een andere uitdrukking nog wel knap hadden kunnen lijken, me nu alleen maar irriteerden.

Toen ik ze vroeg of ze iets wilden drinken, stelden ze voor om een fles rode wijn te nemen. Die werd daar verkocht per liter, was biologisch en smaakte tot mijn verbazing uitstekend. Ze dronken allebei snel, alsof de één bang was dat de ander meer zou krijgen, en de fles was binnen de kortste keren leeg. Ik vond het niet erg, misschien zou de alcohol ze wat loslippiger maken.

Ik had ze alleen verteld dat Ramona weg was, niets over het geld, en dat haar vader mij had ingeschakeld om haar terug te vinden. Of ze wisten waar Ramona kon zijn? Haar vader maakte zich ongerust, zei ik. Daar moesten ze allebei schamper om lachen.

'Haar vader is een klojo. Hij kent haar niet eens. Heeft hij de politie al gebeld? Nee, dat zal wel niet. Daar schaamt hij zich natuurlijk te veel voor. In plaats daarvan schakelt hij jou in. Om even een probleempje voor hem op te lossen.'

Het feit dat hij mij tutoyeerde ergerde me al, maar dat gold nog meer voor de minachting waarmee hij sprak, die waarschijnlijk zowel Leimann als mij betrof. Hoe oud zou hij zijn? Ook zo rond de achttien, net als Ramona? En dan al zo stellig in zijn overtuigingen. Het was duidelijk dat ik bij hem geen beroep hoefde te doen op de ongerustheid van haar vader. Dan maar rechttoe, rechtaan: 'Waar zou ze volgens jullie kunnen zijn?'

'Overal en nergens. Ramona redt zich altijd wel. Ze kan een bar in lopen waar ze niemand kent, om er vervolgens uit te komen met iemand die haar mee uit eten neemt of geheel onbaatzuchtig een slaapplaats voor de nacht aanbiedt.' Dat 'geheel onbaatzuchtig' kwam er schamper uit.

Voor het eerst zei nu ook het meisje iets: 'Er is altijd wel een of andere viezerik die denkt dat niet te zijn, die zich graag over haar ontfermt.'

Ze keek me afkeurend aan, alsof ze er geen twijfel over wilde laten bestaan dat ik in haar ogen ook zo iemand was. Ik kon alleen maar hopen dat haar zoiets niet was overkomen, want ondanks haar houding van 'alles gezien, alles gedaan' was ze nog maar een meisje.

'Zo, en gebeurde dat dan regelmatig?' vroeg ik haar.

Haar vriend onderbrak ons: 'Als dat zo zou zijn, zou jij daar vast wel een waardeoordeel over hebben, of niet soms?'

Hij probeerde me uit te lokken, maar ik ging er niet op in. Ik haalde mijn schouders op en bleef ze vriendelijk aankijken. De hoop dat dit gesprek mij iets zou opleveren, werd snel minder.

'Wisten jullie dat ze een vriend had, Ernst Jimmink?'

'Ja, die heeft ze een keer meegenomen, maar blijkbaar beviel het hem hier niet, ik heb hem daarna nooit meer gezien. Hij was hier ook behoorlijk misplaatst.'

Net zoals ik waarschijnlijk.

'Met wat ik van hem heb gehoord, lijkt het mij nou niet een type dat bij Ramona paste. Of vonden jullie van wel?' Ik vroeg het opnieuw vriendelijk.

'Waarom vraag je hem dat niet zelf?'

Hier had ik op gewacht en ik was benieuwd hoe ze zouden reageren.

'Nou, weet je, Ernst is ook verdwenen. Het heeft er alle schijn van dat ze samen op pad zijn.'

Voor het eerst zag ik verbazing op hun gezicht en die leek me oprecht. Ze keken elkaar ongelovig aan. Toen haalde de jongen zijn schouders op: 'Dan zal ze wel weer terugkomen als zijn geld op is. Tot dan zal hij denken dat alles koek en ei is. Wat een sukkel, jezus, wat een sukkel. Dat verzin je toch niet. Dat wil zo'n looser dan toch zelf?' Terwijl hij dat zei, keek hij zijn vriendin aan met een lach vol ongeloof over zoveel domheid.

Ik stond op, wat mij betreft was het gesprek afgelopen.

'Jammer dat we zo niet veel verder komen, maar toch bedankt. Hier hebben jullie mijn kaartje. Als je nog iets te binnen schiet hoor ik het graag. Misschien helpen jullie daar je vriendin wel mee.' Toen ik het woord 'vriendin' gebruikte, realiseerde ik me hoe ongepast dat klonk in de aanwezigheid van deze types.

'Ze is toch een vriendin van jullie? Gewoon uit nieuwsgierigheid: wat hadden jullie eigenlijk met elkaar gemeen?'

'Wat wij gemeen hadden met Ramona?'

Het was alsof ik een kans voor open doel had gegeven. Het antwoord werd er bijna uitgekotst: 'Afkeer. Afkeer van jouw maatschappij.'

Toen ik had afgerekend en buiten naast mijn auto stond, op zoek naar mijn autosleutels, merkte ik dat ik niet alleen was. Iedereen zal dat gevoel kennen: je hebt nog niets gezien maar weet dat er nóg iemand is. Ik voelde kippenvel opkomen.

Toen ik me omdraaide, zag ik dat er drie figuren om mij heen stonden. Ik herkende mijn vriend met wie ik nog geen vijf minuten geleden aan tafel had gezeten. Zo staande had hij ongeveer mijn lengte. Aan beide kanten van hem stonden nog twee jongens. Alle drie waren ze stevig gebouwd, maar in hun gezicht en lichaamsbouw zag ik geen echte hardheid. We stonden in het licht van een lantaarnpaal en ik kon duidelijk de honkbalknuppel zien die mijn vriend in een van zijn handpalmen liet rusten. Het gelakte hout weerkaatste in het licht van de lantaarn. En niet alleen de lak, maar ook de drie kale schedels van de jongens.

Ik had een probleem, maar mijn eerste inschatting was dat het niet onoverkomelijk was. Hoe vaak zouden ze met zo iemand als ik te maken hebben gehad?

Mijn vriend nam het woord: 'We vinden dat je ons wat schuldig bent voor de belangrijke informatie die we je hebben gegeven.'

Aan de grijns op hun gezicht te zien, vonden ze dat alle drie humoristisch.

'Zo, waar denk je aan?' Ik zei het zonder vriendelijkheid in mijn stem. Ik was moe en wilde naar huis. Heel kort zag ik een flikkering van verbazing in zijn ogen.

'Geef je portemonnee maar,' zei hij.

Hij dacht misschien dat we nog in gesprek waren, maar dat was niet meer het geval. Elk woord zou er één te veel zijn geweest. Ik haalde met volle kracht uit met mijn rechtervuist en raakte hem midden op zijn neus. Ik hoorde het kraken van het bot en het bloed gutste op zijn kleren. Ik schopte hem keihard in zijn kruis en terwijl hij schreeuwend in elkaar kromp, trok ik zijn vriend die links naast hem stond met mijn beide armen langs me heen en ramde hem zo hard als ik kon met zijn hoofd tegen de lantaarnpaal. Dat gebeurde met zo'n klap dat die heen en weer bewoog, als een boom die in een storm heen en weer wordt geslingerd. Toen ik me omdraaide was nummer drie al op de vlucht geslagen: de enige juiste beslissing.

Terwijl ik naar huis reed, trok de adrenaline langzaam weer uit mijn bloed. Ik haatte het gebruik van geweld en zocht het niet op. Deze jongens hadden me echter geen keuze gelaten. Misschien had ik ze wel harder aangepakt dan nodig was, maar de houding van die twee tijdens ons gesprek had mijn irritatie gewekt. Ik vroeg me af hoe het mogelijk was dat twee zulke jonge mensen, eigenlijk nog kinderen, al zo'n diepe afkeer voelden over zo ongeveer alles om zich heen. Op wat voor levenservaring was dat in godsnaam gestoeld? Of was het een vorm van

gemakzucht om op die manier tegen de wereld aan te schoppen?

Als dit vrienden waren van Ramona, dan vroeg ik me af wat
ik van haar kon verwachten.

VII

Voordat ik de volgende ochtend naar het Centraal Station ging om met de Thalys naar Brussel te reizen, belde ik kort met Leimann. Ik hield me op de vlakte en vertelde slechts kort met wie ik had gesproken. Die gesprekken hadden nog niets concreets opgeleverd, maar ik zou hem op de hoogte houden. Ik vroeg of de naam Kurtz hem iets zei, maar dat was niet het geval. Verder klonk hij teleurgesteld, zoals elke opdrachtgever die hoort dat er nog niets concreets is, maar hij stelde geen vragen. Misschien had hij zichzelf een bepaalde tijd gesteld waarin hij mij ongehinderd mijn gang zou laten gaan. Als dat zo was, wilde ik optimaal gebruik maken van die 'wittebroodsweken'. Later zou ik ongetwijfeld nog genoeg gezeur krijgen.

Op het station had ik een beker koffie, een warme croissant en een broodje kaas gekocht, waar ik nu in alle rust van genoot. De coupé was bijna leeg. Terwijl ik naar buiten keek, naar een nat en mistig landschap dat ik met grote snelheid doorkruiste, dacht ik terug aan hoe de dag was begonnen. Een van de bijwerkingen van Seroxat, en dat stond op geen enkele wijze omschreven in de bijsluiter, was dat allerlei herinneringen uit mijn jeugd terugkwamen, en zo helder dat het leek alsof het gebeurtenissen van gisteren waren. Ik was er nog niet over uit of ik het een verrijking vond. Misschien wel: melancholie stemt op hetzelfde moment gelukkig en verdrietig. Het was opvallend hoe gemakkelijk die herinneringen werden opgeroepen door iets dat ik zag of hoorde in het heden.

Ook deze ochtend was dat gebeurd. Toen ik opstond hing er een dichte mist, de geluiden op straat werden gedempt en alles was nat van die vochtige nevel. Toen ik met een kop koffie voor het raam stond, zag ik een groepje scholieren die op de fiets op weg waren naar school. Mijn oog viel op de schooltas van een van hen. De combinatie van mist en schooltas bracht mij terug naar mijn jeugd. Zo fietste ik alle dagen langs het spoor, door het bos dat tussen mijn huis en de school lag, met achter op de bagagedrager een dikke schooltas. Ik zag heel precies die tas weer voor me en al die spullen die ik erin meenam. Ik was ontroerd door de helderheid en vooral door de nabijheid van dat beeld.

Het leek gisteren, maar in werkelijkheid waren er sindsdien meer dan vijfentwintig jaar verstreken. Ik had ze niet nutteloos besteed, was succesvol geworden in mijn werk en ik had zelfs van iemand gehouden. Dat laatste leek me belangrijk, iets dat zin gaf aan het leven, voor het eerst was ik meer dan een toeschouwer geweest, maar over de rest was ik onzeker.

Ik had ook aan mevrouw Jimmink gevraagd of de naam Kurtz haar iets zei. Haar eerste reactie was ontkennend, maar toen ze me in de trein op mijn mobiel belde, klonk haar stem opgewekter dan de laatste keer. Waarschijnlijk omdat ze mij nu met iets concreets kon helpen.

'Toen u me belde had ik al het idee dat ik die naam eerder had gehoord, het klonk zo bekend, en nu weet ik het weer. Het is de hoofdpersoon uit een boek van Joseph Conrad, *Heart of Darkness*. Misschien kent u dat boek wel, het is erg beroemd.'

'Nu u het zegt, de titel ken ik wel, maar ik heb het nooit gelezen. Het enige dat ik weet is dat het in Afrika speelt en een soort aanklacht is tegen het kolonialisme. Wie was die Kurtz ook alweer?'

Mevrouw Jimmink nam uitgebreid de tijd om mij de inhoud uit de doeken te doen: 'De verteller in het boek is een zeeman met de naam Marlow. Als kapitein op een stoomboot werkt hij voor een Belgisch bedrijf dat handelt met de Congo. Tijdens zijn verblijf daar ziet hij met eigen ogen hoe de lokale bevolking van zwarten op beestachtige wijze door de blanke kolonisatoren wordt gedwongen de rijkdommen van hun land te ontginnen. Terwijl hij daar werkt, hoort hij dat er ergens diep in de binnenlanden een handelsagent van dat bedrijf is gestationeerd, een zekere Kurtz. Omdat hij erin slaagt grote hoeveelheden ivoor te verschepen, meer dan wie dan ook, wordt deze Kurtz beschouwd als hun beste werknemer. Hij is uitgegroeid tot een legende, want hij verlaat nauwelijks nog de binnenlanden en laat zelden of nooit zijn gezicht zien.'

Ze onderbrak haar betoog om te vragen of ze niet te veel uitweidde.

'Nee, integendeel, gaat u alstublieft verder.'

'Omdat het bedrijf wil weten wat er aan de hand is, besluit een van de directeuren, samen met de accountant en de advocaat van het bedrijf, met de stoomboot stroomopwaarts te gaan, op zoek naar Kurtz. Hoe verder ze komen, hoe beklemmender de sfeer wordt. De hitte, de ondoordringbaarheid van het oerwoud, de vreemde geluiden en het idee steeds dieper in een onbekende en bedreigende wereld door te dringen, drukt op hen allen. Vlak voordat ze de handelspost bereiken, worden ze aangevallen door de lokale bevolking. Later horen ze dat die aanval was beraamd door Kurtz, in de hoop dat ze hem niet zouden bereiken. Als ze eindelijk bij hun bestemming zijn, zien ze rondom het huis van Kurtz allemaal palen staan. Dichterbij gekomen zien ze tot hun afgrijzen dat daarop afgehakte hoofden zijn gespietst. Verder maakt alles een vervallen indruk, het is alsof het ondoordringbare oerwoud weer oprukt, om alles wat door mensenhanden is gebouwd weer op te slokken en te laten verdwijnen. Wanneer ze uiteindelijk Kurtz ontmoeten, zijn ze geschokt: hij is vervallen tot een soort lokale despoot die door zijn mannen wordt verafgood. Hij is niet langer het toonbeeld van de westerse beschaving, maar is ten prooi gevallen aan de geheimen van de ondoordringbare jungle en haar bewoners. Als hij ten slotte instemt met een terugkeer naar de "beschaving", ernstig ziek en in de war, sterft hij aan boord van het schip. Zijn laatste woorden zijn: "The horror, the horror."'

Ik vroeg haar of de naam 'Inner Station' haar bekend was.

'Ja, dat kan ik u zo vertellen, dat is de naam van de handelspost waar Kurtz is gestationeerd. Het bedrijf heeft een "Central Station", in de min of meer bewoonde wereld aan de kust, en dat "Inner Station" is hun meest afgelegen handelspost, diep in de binnenlanden.'

Toen ze was uitgesproken, vroeg ze wat ik hiervan dacht. Eerlijk gezegd nog niet veel, en ik voelde er weinig voor om te speculeren. Ik bedankte haar voor haar telefoontje en verbrak de verbinding.

Ernst moest het boek ook kennen en had 'Kurtz' gebruikt als password. 'Inner Station' was de naam van een waarschijnlijk belangrijke file, die hij ergens voor ons verborgen hield. Misschien zou ik later ook nog wel dat 'Central Station' tegenkomen, dat zou me tenminste niet verbazen. En nu was ik op weg naar een professor die zich ook al bezighield met Congo. Bovendien werkte Ernst voor een bedrijf dat handelde met wat nu de Democratische Republiek Congo heette. Ik nam me voor het boek te kopen en aandachtig te lezen. Als het inderdaad zo'n klassieker was, kon ik het nuttige met het aangename verenigen.

In gedachten verzonken keek ik naar buiten en ik realiseerde me ineens dat ik het boek dan wel niet had gelezen, maar wel

een film had gezien waarin alles voorkwam wat mevrouw Jimmink mij had verteld: *Apocalypse Now*, met Marlon Brando als
de moderne versie van Kurtz, die ook sterft met de woorden:
'The horror, the horror.'

Van wat voor vreselijks zou Ernst op de hoogte zijn dat het
hem had doen besluiten de naam van Kurtz te gebruiken?
Misschien was hij ook wel bij iets betrokken geraakt dat net
zoals in het geval van Kurtz en Marlon Brando groter was dan
hemzelf. En was ik dan misschien de aangewezen persoon die
hem terug moest halen?

VIII

In Brussel had ik een taxi genomen naar Tervuren. Daar reden we onder een hoge stenen toegangspoort door een uitgestrekt terrein op, bestaande uit een aantal grote gebouwen, omringd door goed onderhouden gazons. Recht voor me, achter een vijver, lag een enorm gevaarte dat duidelijk centraal stond binnen dit complex. Het hart ervan werd gevormd door een hoge koepel, met aan weerszijden twee uitgestrekte vleugels. De architect had er niet naar gestreefd om vernieuwend te zijn, maar wel om iets neer te zetten dat alleen al vanwege de omvang indruk maakte.

De taxi stopte voor een gebouw waarop in steen uitgehakt KOLONIËNPALEIS stond. Het was een grof ogende vierkante constructie, massief en donker. Misschien dat het er op een zonnige dag allemaal wat vrolijker uitzag, maar nu droop alles van het vocht en in die koude grauwe mist kwam er van de granieten bouwstenen een somberheid en kilte die zich zelfs in mijn botten leek vast te zetten.

Ik rilde en beklom het bordes. Ik kwam in een grote vierkante hal die zo slecht was verlicht dat ik moeite had de contouren goed te kunnen onderscheiden. Op wat zwakke lichtpuntjes na was de enige duidelijke lichtbron de tl-verlichting die in de receptie brandde. Dat was niet meer dan een eenvoudige houten keet, geplaatst tegen een van de muren van de hal.

Toen ik me daar meldde, werd ik te woord gestaan door een dikke vrouw, die in haar witte stofjas nog het meest weg had van een toiletjuffrouw. Waarschijnlijk was ze allebei en het zou me niet verbazen als ze ook nog voor de koffie zorgde. Ik vroeg naar professor Braeckman en ze verzocht mij om plaats te nemen. De telefooncentrale van de receptie zou in een museum niet hebben misstaan.

Als ik ooit het gevoel had welkom te zijn, was het nu wel. Professor Braeckman kwam met uitgestrekte armen op me af en even leek het erop dat hij me zou gaan omhelzen. Zijn vriendelijkheid had zoiets vertrouwds dat ik het niet eens vreemd zou hebben gevonden. Zijn warme ontvangst stak schril af tegen de kilheid van het gebouw.

Ik schatte hem tussen de zestig en zeventig. Hij was een stuk kleiner dan ik, misschien net een meter zestig, en gezet. Hij had een bol gezicht met een dubbele kin, die over de openstaande boord van zijn overhemd hing. Achter een bril met een groot, donkerkleurig hoornen montuur keken twee grote vissenogen mij vriendelijk aan. Zijn gezicht deed me sterk denken aan dat van Doctors van Leeuwen, de directeur van onze AIVD, de Algemene Inlichtingen en Veiligheids Dienst. Zijn hoofd leek onnatuurlijk groot in verhouding tot de rest van zijn lichaam. Aan zijn zware ademhaling te horen, schatte ik dat professor Braeckman niet meer liep dan strikt noodzakelijk was.

Hij gaf mij een stevige hand en terwijl hij die vasthield, keek hij mij onderzoekend aan. 'Welkom meneer Havix. Heeft u het ondanks die vervelende mist goed kunnen vinden?'

'Ja prima, dank u wel. Ik ben met de trein en taxi gekomen, dus dat was geen enkel probleem. Maar mag ik u eerst bedanken dat u mij zo snel heeft kunnen ontvangen?'

'Maar dat is toch vanzelfsprekend,' zei hij met oprechte verbazing. 'U kunt op mijn volledige medewerking rekenen. Wat heeft u overigens een prachtige naam: Jager Havix. Mag ik u daarmee complimenteren? Kom, laten we naar mijn werkkamer gaan.'

We liepen door brede gangen, met vloeren van marmer en hoge, bewerkte plafonds. Het viel me op hoe slecht de staat was waarin het gebouw verkeerde. Het was er koud binnen en overal zag ik vochtplekken en afbladderend stucwerk. Ook hier was de verlichting spaarzaam, eigenlijk was het nergens echt licht. Aan de muren hing een bonte verzameling van schilderijen in allerlei formaten, houten maskers, enorme landkaarten, speren, wandkleden, schilden en van alles en nog wat. Alles hing zo dicht op elkaar dat ik de indruk had dat de muur eerder was gebruikt om deze spullen ergens te kunnen stallen dan om ze te exposeren. Als dat wel de bedoeling was, mochten ze de bezoekers bij de ingang wel een mijnwerkerslamp op zetten.

Toen ik hem vroeg naar de geschiedenis van dit gebouw vertelde hij me dat dit paleis in 1898 werd gebouwd door koning Leopold II, de tweede koning van België.

'Hij heeft het speciaal laten bouwen om het als museum in te richten: het Congo Museum. U weet wellicht dat koning Leopold II vele jaren een eigen kolonie heeft gehad, Congo Vrijstaat geheten. Later heeft hij die overgedragen, verkocht om precies te zijn, aan de Belgische overheid. Na de onafhankelijkheid is dat toen Zaïre geworden, onder Mobutu, en inmiddels heet het de Democratische Republiek Congo. Koning Leopold was begonnen een collectie aan te leggen van allerlei zaken uit die Congo Vrijstaat, opdat zijn onderdanen dat ook eens van dichtbij konden aanschouwen. Later werd de collectie zo groot dat het niet meer in dit gebouw paste en toen heeft hij het huidige museum laten bouwen. Dat is het grote gebouw dat u heeft gezien toen u door de toegangspoort kwam: het Koninklijk Museum voor Midden-Afrika. Sindsdien wordt dit gebouw gebruikt als kantoorruimte van de onderzoeksafdeling van het museum.'

Net toen ik wilde vragen wat ze zoal onderzochten, kwamen

we aan bij zijn kamer. Hij opende de deur en liet me voorgaan. Ik had al heel wat kantoren vanbinnen gezien, maar dit was een uniek geval. Ik schatte het vertrek ongeveer zeven bij veertien meter en zeker vier meter hoog. Met uitzondering van een muur waarin grote ramen waren geplaatst, met uitzicht op het park, waren de wanden bedekt met massief hardhouten kasten die doorliepen tot aan het plafond. De planken stonden volledig vol met boeken. Het moesten er duizenden zijn, in allerlei formaten, en om die op de hogere planken te kunnen bereiken, stond er tegen een van de kasten een ladder.

In het midden van de kamer stond een enorm houten bureau met twee oude leren fauteuils ervoor. In tegenstelling tot de rest van het gebouw was deze kamer goed verlicht. Een grote lamp op zijn bureau bescheen zijn hele werkplek, en ook in de kasten was voor verlichting gezorgd.

Hij nodigde mij uit plaats te nemen in een van die versleten stoelen. Hij ging zelf zitten in een bureaustoel met een rugleuning die zo hoog was dat hij nog kleiner leek. Het was hier aangenaam warm en ik rook een bekende geur uit mijn jeugd: de ruimte werd verwarmd door een ouderwetse oliekachel.

Behalve de boekenkasten stonden er ook een aantal vitrinekasten, die vol lagen met kleine aardewerken voorwerpen. Zijn bureau was bedekt met stapels papieren en boeken, maar hij had wel ruimte gelaten voor een computer.

Toen de vrouw die ik bij de receptie had gesproken ons koffie had gebracht, nog steeds in de witte stofjas, opende professor Braeckman een doos op zijn bureau om me een bonbon aan te bieden. We wisselden wat beleefdheden uit. Nadat hij uit een rek met pijpen er een had uitgekozen, die op zijn gemak had gestopt en aangestoken, vond hij blijkbaar dat het moment was aangebroken om ter zake te komen.

Ik vatte nogmaals kort samen waarom ik hier was en wat ik tot dusver had ondernomen en besloot met:

'Tot nu toe heb ik weinig aanknopingspunten. Misschien dat u mij verder kunt helpen. Wat kwam hij hier precies bij u doen?'

'Welaan, laat ik u eerst zeggen dat ik moeite heb uw verhaal te geloven. Ernst maakte op mij een heel serieuze indruk. En nu zou hij met de noorderzon zijn vertrokken, met een meisje, en samen geld hebben gestolen. Ik wil niet onbeleefd zijn, maar weet u wel zeker dat het zo is? Welaan, hoe het ook zij: ik zal u vertellen wat ik weet. Misschien dat u er wat aan heeft.' Hij trok een aantal keren krachtig aan zijn pijp, alsof hij zich zo wilde opladen.

'Ernst hielp mij met een onderzoek. Misschien heeft u er iets van meegekregen dat er ongeveer een jaar geleden in België veel rumoer is geweest over de Democratische Republiek Congo. Een meneer Ludo de Witte had toen net een dik boek gepubliceerd over de moord in 1961 op de eerste gekozen minister-president van het toen recent onafhankelijk geworden Congo, Patrice Lumumba. In dat boek toont hij aan dat de Belgische regering zeer nauw betrokken was bij die moord. Tot die tijd werd aangenomen dat het de CIA was geweest die achter de moord zat, voornamelijk vanwege de linkse sympathieën van Lumumba. Vandaag de dag zouden dat soort linkse denkbeelden er niet zoveel meer toe doen, maar toen waren we op het hoogtepunt van de Koude Oorlog. Wel, er was een enorme ophef over in de kranten en op de televisie. Mijn naam werd daarbij regelmatig genoemd, omdat ik hier in België wordt gezien als kenner van de geschiedenis van Congo. Iets zal daarvan ook op de Nederlandse televisie zijn geweest, want op een gegeven dag werd ik gebeld door Ernst, die zei dat hij bijzonder geïnteresseerd was in die geschiedenis. Het bedrijf waarvoor hij werkte deed zaken met dat land en hij wilde mij graag wat dingen vragen. Ik kon daar natuurlijk moeilijk bezwaar tegen maken. Ik ben immers wel gewend om geraadpleegd te worden als het om dat land gaat.' Hij maakte een gebaar naar de boekenkasten. 'Ik weet niet hoe bij u in Nederland de geschiedenis wordt gearchiveerd, maar die van Congo staat hier tegen de wand. Ik werk al meer dan dertig jaar vanuit deze kamer en heb in die tijd, naast allerlei historisch materiaal dat we als museum al in ons bezit hadden, geleidelijk aan zo ongeveer alles verzameld wat er over Congo is geschreven. En dan bedoel ik natuurlijk niet alleen van toen het nog een kolonie was, maar ook de tijd erna, onder Mobutu en nu onder Kabila.'

Hij stond op en zei: 'Kom, ik zal u eens iets laten zien,' en liep naar de vitrinekasten.

Nu ik daar dichtbij stond, zag ik dat onder het glas een bonte verzameling lag van stukken aardewerk, opgeprikte vlinders, spinnen, kleine gebruiksvoorwerpen, oorbellen en halskettingen. Maar er lagen ook diverse documenten die er oud uitzagen.

Hij opende met een sleuteltje een van de kasten en haalde er heel voorzichtig een document uit dat hij boven op de vitrinekast legde.

'Kijk, dit is de originele oprichtingsakte van de Union Minière du Haut-Katanga, gedateerd 23 juli 1904. Dat is het mijnbouwbedrijf dat toen Congo Vrijstaat nog de persoonlijke kolonie was van koning Leopold, speciaal werd opgericht voor de exploitatie van de minerale rijkdommen. In dit stuk staat dat de enige aandeelhouder van de Union Minière de Belgische overheid is en dat het alle bezittingen en activiteiten overneemt van een bedrijf met de naam Association Internationale du Congo. Welaan, dat bedrijf was honderd procent eigendom van onze koning.'

Zonder het papier aan te raken, wees hij met zijn vinger: 'Dat is zijn handtekening, met het officiële stempel van het koningshuis zoals dat ook nu nog wordt gebruikt. In de tekst staat onder andere dat de Union Minière du Haut-Katanga is opgericht om bij te dragen aan de ontwikkeling van de Congo

Vrijstaat en haar inwoners. Koning Leopold was een meester, in ieder geval een tijdlang, in het verdoezelen van zijn ware bedoelingen. Aan wie het maar wilde horen, vertelde hij dat de ontwikkeling van die Congo Vrijstaat hem meer kostte dan het opleverde en dat hij handelde uit altruïsme.'

Hij onderbrak even zijn betoog en veegde met een zakdoek het zweet van zijn voorhoofd. Het was duidelijk dat hij zich begon op te winden.

'Niets dan goeds over de doden, zou een ander misschien zeggen, en België zelf wil niet aan dit stuk van onze geschiedenis worden herinnerd, maar de feiten zijn gruwelijk. Zowel toen Congo Vrijstaat nog van koning Leopold was als daarna, toen het een kolonie was geworden van de Belgische overheid, is daar op beestachtige wijze huisgehouden. De schattingen zijn dat gedurende die periode van zeventig à tachtig jaar tussen de vijf en vijftien miljoen Congolezen zijn omgekomen. Hoe België het precies voor elkaar heeft gekregen om dat te verbergen, is zelfs voor mij een raadsel. Wat in ieder geval meegespeeld heeft is dat juist in de periode dat er meer over bekend werd, Europa zich in de Eerste Wereldoorlog stortte. Hoe het ook zij: dit is een inmiddels zo goed als vergeten genocide.'

Hij legde het document terug, deed de vitrinekast op slot en liep naar de volgende. Ook die moest weer met een sleuteltje worden geopend. Hij pakte er een dikke leren map uit en maakte de strik los waarmee de inhoud bij elkaar werd gehouden. Voor ons lag een stapel vergeelde papieren.

'Toen de eerste geruchten de ronde deden over wat er allemaal aan de hand was in de Congo, besloot de Britse overheid in 1903 om een diplomaat, genaamd Roger Casement, op onderzoek te sturen. Dit is zijn rapport: tweeënzestig pagina's over verminkingen, amputaties, gedwongen arbeid, zweepslagen, gijzelingen om de bevolking te dwingen mee te werken, feitelijk als een soort slaven, en moord op grote schaal. Toen de inhoud bekend werd gemaakt, veroorzaakte het een storm van protest. Van alles wat is geschreven over de Congo Vrijstaat is dit waarschijnlijk het belangrijkst geweest. Het leidde ertoe dat koning Leopold niet veel later zijn kolonie moest afstaan aan de Belgische overheid. Kijkt u nog maar eens goed,' sprak hij vol ontzag, 'voor u ligt een historisch sleuteldocument, misschien zelfs het eerste, op het gebied van de strijd voor de rechten van de mens.' Vervolgens sloot hij ook deze kast weer keurig af.

Toen we ons weer aan zijn bureau hadden geïnstalleerd, ging hij verder: 'De eerste keer dat Ernst op bezoek kwam, wilde hij alles over dat bedrijf weten en in het bijzonder van de onderneming die is voortgekomen uit de Union Minière du Haut-Katanga, met de naam Gécamines, dat staat voor La Générale des Carrières et des Mines. Hij vertelde dat het bedrijf waar hij voor werkte, Kalisz International Trading Company, heel veel zaken deed met Gécamines. Nu moet u weten dat Gécamines de persoonlijke melkkoe was van Mobutu. Die nam gewoon van dat bedrijf wat nodig was voor hem en zijn hofhouding. In een bepaald jaar is het zelfs voorgekomen dat Mobutu opdracht gaf om een bedrag van vierhonderd miljoen US dollars, dat was gestort op buitenlandse rekeningen van Gécamines als betaling voor geleverde mineralen, vooral koper, over te maken naar rekeningen in Zwitserland.'

'En dat ging zo eenvoudig?' vroeg ik.

Hij leunde over zijn bureau naar mij toe: 'Ja, meneer Havix, zo eenvoudig ging dat. Als het over Congo gaat, moet u één ding heel goed onthouden: u moet referentiekaders van wat normaal en mogelijk is moet loslaten. De geschiedenis van Congo is binnen zulke kaders niet te vatten. Een land dat groter is dan heel West-Europa bij elkaar, dat immense natuurlijke rijkdommen heeft, dat omringd wordt door negen buurlanden, die allemaal interesse hebben voor die schatten die zo ongeveer voor het oprapen liggen, het totale gebrek aan cen-

traal gezag, de invloed van een individu als Mobutu, tweeën-
dertig jaar aan de macht, de omvang van het lijden van de bevolking: alles is groter dan normaal. Je zou kunnen zeggen dat
de werkelijkheid van dat land ons bevattingsvermogen eigenlijk te boven gaat. In zekere zin is dat ook de tragiek van dat
land, omdat daardoor de reacties van de buitenwereld zo half-
slachtig zijn en vaak te laat om een nieuwe ramp te voorkomen.'

Ik wist niet hoe hierop te reageren. Wat Congo ook voor re-
aliteit mocht hebben, ik was nu op zoek naar Ernst en probeerde daarbij zo rationeel mogelijk te werk te gaan.

'Indrukwekkend,' zei ik. 'Toch wil ik graag weer terug naar
Ernst. Vanwaar zijn belangstelling voor dat Gécamines?'

'Welaan, ik denk aanvankelijk omdat hij misschien wel iets
had gehoord over Mobutu en Gécamines en al had begrepen
dat het niet zomaar een klant was. En toen ik besefte dat hij via
Kalisz veel wist van de handel in metalen vroeg ik hem op mijn
beurt mij te helpen met het in kaart brengen van de exacte
hoeveelheden van de verschillende mineralen die in de loop
der jaren door zowel de Union Minière du Haut-Katanga als
door Gecámines aan Congo waren onttrokken. Om dat uit te
zoeken kwam hij hier op bezoek en ik kan u vertellen dat hij
regelmatig de ladder op klom om boeken of artikelen te raad-
plegen, op zoek naar historisch cijfermateriaal. Hij deed dat
heel nauwgezet en serieus.'

'En wat was de uitkomst van uw onderzoek?'

Hij hief zijn armen in de lucht en moest lachen: 'Dat is niet
zo eenvoudig kort weer te geven. Maar laat ik een poging
doen u de grote lijnen te schetsen. Een van de conclusies is
dat het ging om enorme hoeveelheden en bedragen. Een
tweede conclusie is dat van die verkoopopbrengsten maar
heel weinig naar de overheidskas vloeide. In de jaarlijkse be-
grotingscijfers van de staat maar een fractie terugkomt van
wat er daadwerkelijk werd verdiend door die overheidsbedrij-

ven. En dan kom ik weer terug op wat ik eerder zei over hoe moeilijk we kunnen bevatten wat er in Congo is gebeurd. De bittere armoede van Congo staat in schril contrast tot die enorme bedragen. Het is duidelijk dat al dat geld wel ergens terechtgekomen is, maar in ieder geval niet op de plek waar het werd gegenereerd.

Ernst had het daar overigens vaak over. Waar zouden al die miljarden zijn gebleven? Soms had ik het idee dat die kant van de geschiedenis hem het meest fascineerde. Veel meer kan ik u er eigenlijk niet over vertellen.'

Dat wat ik had gehoord, had me echter op een idee gebracht. 'Misschien toch wel. U zegt dat Ernst naar historisch materiaal zocht in uw bronnen, maar maakte hij wellicht ook gebruik van gegevens die hij via Kalisz kon achterhalen?'

'Goed dat u dat vraagt; u moet weten dat zowel in de tijd dat het bedrijf nog Union Minière du Haut-Katanga heette, toen het land dus nog een Belgische kolonie was, als toen de naam was veranderd in Gecámines, onder Mobutu, de boekhouding keurig werd bijgehouden. Dat is allemaal goed bewaard gebleven. Hoeveel van welk erts op welke datum was gewonnen, de kwaliteit daarvan, uit welke mijn, wanneer het was verscheept, aan wie het werd verkocht en tegen welke prijs: alles werd minutieus bijgehouden. Alsof degenen die profiteerden van de winning van die mineralen genoegen beleefden aan het lezen van die cijfers. Als Dagobert Duck, die er maar geen genoeg van kan krijgen om zijn geld te tellen. En ik kan u verzekeren dat men daarbij geen scrupules had. Boekhouders zonder gewetenswroeging registreerden de naakte cijfers tot in detail. In Congo moest koste wat kost die onuitputtelijk geachte bron van rijkdom worden geëxploiteerd, ongeacht de prijs aan menselijk lijden die daarvoor moest worden betaald. Koning Leopold vond het eerder moreel verwerpelijk om die rijkdommen niet te gebruiken, als ze zo goed konden worden aangewend voor de ontwikkeling van België. Maar ook Mobutu wilde dat soort cijfers graag zelf zien; misschien dat bij hem wel de angst meespeelde om te worden bedrogen door zijn eigen medewerkers.'

De serieuze uitdrukking op zijn gezicht maakte plaats voor een glimlach en hij zei: 'Wat hun motieven ook waren, het heeft wel tot gevolg gehad dat er voor onderzoekers zoals ik veel materiaal beschikbaar is.'

'En Kalisz?'

'In de boeken kwamen we ook regelmatig Kalisz tegen als koper, naast vele anderen. In die zin was die informatie dus publiekelijk beschikbaar en in het eindrapport heb ik ook geen bijzondere aandacht geschonken aan dat bedrijf. Ik noem ze in het rijtje van opkopers, meer niet. Maar om uw vraag te beantwoorden: ik heb nooit aan Ernst gevraagd om gegevens uit de boeken van Kalisz ter beschikking te stellen. Dat hadden we niet nodig en ik zou het ook niet correct hebben gevonden. Als Ernst daar al inzage in had dan was dat als werknemer en dus vertrouwelijk. Overigens was Ernst zelf daar ook veel te correct voor.'

Die indruk had ik nu al van verschillende kanten gekregen, maar toch was hij verdwenen met een meisje van zeventien en een hoop geld.

'Zou ik de resultaten van uw gezamenlijke onderzoek mogen inkijken?'

Professor Braeckman keek enigszins verbaasd maar maakte geen enkel bezwaar.

'Ja, natuurlijk, maar ik denk niet dat u er veel aan zult hebben. Het is vooral bijzonder veel cijfermateriaal, waar ik dan natuurlijk conclusies aan heb proberen te verbinden.'

Toen ik aangaf dat toch graag te willen lezen, voegde hij daar nog aan toe: 'Wilt u dat ik nu een kopie laat maken? Dat is misschien het handigst, dan kunt u die meteen meenemen. Weet u wat misschien een goed idee is? Hoe lang blijft u eigenlijk? Heeft u nog tijd voor een rondleiding door Brussel? Dan kan ik u in ieder geval laten zien waar een gedeelte van die opbrengsten terecht is gekomen.'

Hij zei het zo enthousiast dat ik eigenlijk niet kon weigeren. En hij had me nieuwsgierig gemaakt naar dit stuk geschiedenis van België waar ik tot voor kort nauwelijks iets van af wist. Ik nam zijn uitnodiging dan ook graag aan en we spraken af elkaar de volgende dag te ontmoeten. Ditmaal niet hier, maar voor de ingang van het Koninklijk Museum voor Midden-Afrika, dat enorme gebouw dat ik bij mijn aankomst al had gezien. Hopelijk zou het weer dan zijn opgeknapt.

Toen hij me naar de uitgang begeleidde en we opnieuw door de donkere gangen liepen, pakte hij me plotseling bij mijn arm: 'Kijk, dit is iets dat u in ieder geval nooit in een Belgisch museum zult aantreffen. Zover is België nog niet met de verwerking van haar verleden.'

Hij had een zweep van de muur gepakt en me die in de handen gedrukt. Het ding voelde zwaar en ruw aan.

'Dit is de *chicotte*, gemaakt van de huid van een nijlpaard, die toen nog in groten getale in de rivier voorkwamen. Het was hét instrument om straffen op te leggen en zeer gevreesd onder de lokale bevolking. De zweep was zo ruw en hard dat al bij de eerste klap de huid van het slachtoffer helemaal werd opengescheurd. Voor het minste of geringste kreeg men vijfentwintig zweepslagen; dat leidde meestal al tot bewusteloosheid. Maar er waren ook sadisten die er honderd lieten uitdelen, vaak met de dood tot gevolg. En weet u, meneer Havix, wat misschien nog het meest schrijnend is?'

Het was duidelijk dat hij die vraag zelf wilde beantwoorden. Hij keek me even aan en liet bewust een stilte vallen.

'De blanke sloeg niet zelf, dat líét hij doen; door een zwarte. In die zin lijkt die werkwijze op wat Lumumba een keer heeft gezegd, vlak voor zijn dood: 'If I die, it is because a white man handed a gun to a black man.'

'En?' vroeg ik.

'Pardon?'

'Is het ook zo gegaan?'

Professor Braeckman antwoordde vol bitterheid: 'Wat denkt u?'

IX

Die avond zat ik tot laat te lezen in de stukken die ik had meegekregen. Het was bijzonder interessant materiaal. Congo was rijk aan allerlei mineralen, nog veel rijker dan ik vermoedde. Kolen, kobalt, coltan, koper, diamanten, germanium, goud, mangaan, olie, tin, uranium, zink, een lijst waar geen einde aan leek te komen. Niet alleen voor wat betreft de absolute hoeveelheden, maar ook de hoogte van de concentraties waarin het werd aangetroffen. Het was zelfs zo dat er nu nieuwe contracten waren afgesloten om de afvalhopen van eerdere extracties onder handen te nemen. In die enorme afvalhopen van miljoenen tonnen waren de concentraties nog steeds hoger dan in de nog onontgonnen lagen van andere landen.

Om die ertsen uit de grond te halen hadden de machthebbers voor het model van de joint venture gekozen. Keer op keer werd er met een buitenlandse investeerder een bedrijf opgezet om gezamenlijk een nieuwe concessie te exploiteren. Het kapitaal dat nodig was voor fabrieken, machines, werkkapitaal en dergelijke – vaak ging het om honderden miljoenen dollars – werd, samen met de benodigde expertise, ingebracht door de buitenlandse onderneming. Die kreeg dan een minderheidsaandeel in het bedrijf. De staat hield altijd de meerderheid van de aandelen, en dus de zeggenschap, en vervolgens werden de winsten gedeeld. Op die manier hoefde men feitelijk zelf niets te doen: geld en kennis kwamen altijd van derden. Men wilde wel oogsten, maar niet zaaien; er werd zelf geen cent vooraf geïnvesteerd voor de toekomstige exploitatie. Men koos er letterlijk en figuurlijk voor om achterover te leunen en te wachten tot het geld werd binnengebracht.

Nu ik las hoe eenvoudig dat was, begon ik enigszins te begrijpen hoe aantrekkelijk dat vooruitzicht moet zijn geweest. De weg om aan de macht te komen was misschien wel lang en bloedig, maar als dat eenmaal het geval was, kon men ook zwemmen in het geld. Dat perspectief moest voor zo ongeveer iedereen wel bijzonder aanlokkelijk zijn.

De overheid hoefde niet zelf te investeren; dat was ook niet mogelijk, want al het geld dat werd verdiend, was ook weer heel snel verdwenen. De staat als zodanig spaarde niet om te kunnen investeren in de toekomst. Dat was een economisch principe dat op Congo eenvoudigweg niet van toepassing bleek te zijn. Individuen daarentegen spaarden wel, maar dat deden ze op geheime rekeningen in het buitenland.

Belangstelling was er genoeg van buitenlandse investeerders en ze kwamen vanuit de hele wereld: Australië, Japan, de Verenigde Staten, Canada, België, Zuid-Afrika, China en nog vele andere landen. Bedrijven met bekende en onbekende namen als American Mineral Fields Inc., International Panorama Resources Corp., De Beers, Anglo Gold Ltd., Banro Corporation, Great Lakes Metals en BHP World Exploration Inc. Naast dat soort mijnbouwbedrijven waren er ook ondernemingen die zich hadden gespecialiseerd in de handel en daar was Kalisz er een van.

Uit de diverse bijlagen, vol cijfermateriaal waarop de conclusies waren gebaseerd, begreep ik dat Kalisz al meer dan veertig jaar in Congo werkte als opkoper. Ik had niet de illusie uit deze cijfers plotseling een of andere bijzondere conclusie te trekken, maar ik vermoedde wel dat Ernst Jimmink met dat cijfermateriaal aan het werk was geweest. Hij had op zijn com-

puter in een spreadsheet gewerkt met grote hoeveelheden cijfermateriaal. Wat hij precies deed wist ik nog niet, maar het
was in ieder geval niet voor iedereen zomaar toegankelijk. Hij
had dat materiaal ergens opgeslagen waar het niet gemakkelijk
gevonden kon worden, opgesplitst in zes bestanden die samen
weer één geheel vormden.

Toen ik dat zo overdacht, ging me plotseling een lichtje op.
Snel zocht ik in het document naar de bijlage waarin ook Kalisz werd vermeld. Daar stond achter de naam Kalisz International Trading Company het lijstje van de metalen waarin
werd gehandeld: cobalt, mangaan, osmium, iridium, coltan
en vanadium. Dat waren er precies zes.

X

Ik was in de stad op zoek gegaan naar een hotel en had voor het Carlton Plaza gekozen, niet het meest sfeervolle, maar wel het hoogste gebouw in het centrum. Ik had uitdrukkelijk gevraagd naar een kamer op de bovenste verdieping en gelukkig hadden ze die nog. Op die hoogte had ik stilte en leegte om mij heen; hoe hoger hoe beter.

Het was nog donker toen ik de volgende ochtend om zes uur wakker werd. Ik voelde me fris en uitgerust. Ik was ervan overtuigd dat de informatie die ik gisteren had gekregen paste in de puzzel die ik langzaam aan het invullen was. Ik douchte lang en bestelde daarna jus d'orange, croissants, fruit en een grote kan verse koffie. Toen dat was gebracht, schoof ik een bijzettafeltje met het dienblad naar het raam en ging daar zitten. De lucht was nog donker en onder mij schenen de vele lichten van een stad die nog moest ontwaken. In het licht van de straatlantaarns was een schoonmaakploeg bezig de verlaten boulevards schoon te spuiten en te vegen.

Gekleed in slechts een hemd en onderbroek at en dronk ik met opzet zo rustig dat ik me bewust was van elke hap en elke slok. Dat was een vorm van mediteren die ik me had aangeleerd en die me in staat stelde mijn gedachten helemaal uit te schakelen, door volledige concentratie op datgene waar ik op dat moment mee bezig was.

Toen de zon opkwam, scheen die recht in mijn gezicht. Ik deed mijn ogen dicht, maar wendde mijn gelaat niet af. Haar stralen waren achter mijn oogleden teruggebracht tot een zachte rode gloed. Op die hoogte en in die stilte en leegte, zonder afleidende gedachten, had ik het gevoel alleen op de wereld te zijn. Alleen, maar niet eenzaam.

Na een tijdje dwaalden mijn gedachten toch af naar Ramona en Ernst en ik vroeg me af waar ze waren en hoe zij wakker zouden worden. Wat zouden hun plannen zijn voor vandaag? Als ze alleen maar vooruit zouden kijken en niet meer achterom, zou het voor mij moeilijk worden ze te vinden. Maar ik kon dat simpelweg niet geloven; hoe jong ze ook waren, ze hadden hun wortels in het verleden en vroeg of laat zou mij dat op hun spoor brengen.

Ik had geen haast, al lang niet meer. Met elke zaak die ik met succes had opgelost, realiseerde ik mij meer en meer dat de snelheid waarmee ik handelde niet van doorslaggevende betekenis was. Het ging om het juiste spoor. Of de afstand tussen mij en de prooi dan soms wat langer en soms wat korter was, deed niet echt ter zake. In ieder geval niet voor mij.

Professor Braeckman stond me al op te wachten toen ik me om negen uur liet afzetten voor het Koninklijk Museum voor Midden-Afrika. Hij begroette me enthousiast.

'Ik ga u Brussel laten zien en dan mag u me aan het einde van de dag vertellen of het voor u nog steeds dezelfde stad is. Heeft u overigens al koffie gehad?'

Zijn enthousiasme werkte zo aanstekelijk dat ik op mijn allervriendelijkst antwoordde dat ik helemaal klaar was voor zijn rondleiding en er met verwachting naar uitkeek.

'Prima, dan gaan we meteen van start. We gaan eerst even het museum in.'

In een paar uur, die voorbijvlogen, gingen we snel van zaal tot zaal in een immens museum gevuld met houten beelden, kano's in allerlei soorten en maten, aardewerk, levensgrote poppen gekleed in traditionele Afrikaanse kleding, opgezette beesten, eindeloze rijen vitrinekasten met allerlei gesteenten en insecten, een grote collectie van allerlei tropische houtsoorten, een voorbeeld van hoe wilde rubber werd gewonnen door de bast van de rubberboom in te kerven en de druppels op te vangen in een kalebas, een op ware grootte nagebouwd Afrikaans dorp, met de ronde hutten en de koraal voor het vee. Het aanbod was zo enorm dat ik de indruk kreeg dat men geen keuze had kunnen maken wat wel en wat niet te exposeren. In plaats daarvan had men alles maar verscheept naar België, waar een immens gebouw was neergezet, zodat het allemaal kon worden getoond.

Eén zaal had de blanke missionarissen als onderwerp, die naar Congo, het hart van zwart Afrika, waren gestuurd om de zwarten tot het ware geloof te bekeren. Een andere zaal was speciaal gewijd aan Henry Morton Stanley, de beroemde Britse ontdekkingsreiziger, de man van: 'Dr Livingstone, I presume?' Hij was volgens de toelichting van professor Braeckman speciaal door koning Leopold ingehuurd om onder het mom van een ontdekkingsreis de rijkdommen van het land in kaart te brengen.

Ik wandelde door een museum waarvan ik niet wist dat ze zo nog bestonden. In tegenstelling tot de moderne musea, met hun lichte en speelse architectuur, de constructies waardoor veel licht binnenvalt, zodat het museum zo veel mogelijk één geheel vormt met de omgeving, en de toegankelijkheid waarmee alles wordt gepresenteerd, vaak zelfs interactief om ook kinderen te kunnen boeien, was dit iets uit voorbije tijden. De zalen waren groot en donker, onze voetstappen op de koude marmeren vloeren weergalmden tussen dikke muren, en het bouwwerk was zo massief dat de architect vóór alles leek te hebben gekozen voor een constructie die de tand des tijds moest kunnen doorstaan.

Binnen die muren was er niets dat aan de buitenwereld deed denken. Ik liep hier tussen oude, donkere, stoffige, muffe en bovenal verstilde rekwisieten uit Afrika, alles op ware grootte, inclusief de olifant, en ook de giraffe, met een door de motten aangetaste vacht. Dit was het soort museum waarin een kind nog bang was als het alleen werd gelaten, alsof er van achter elke deur plotseling een levende, vrijwel naakte neger te voorschijn zou kunnen komen.

Toen we twee uur later weer buiten stonden, haalde ik onbewust diep adem en knipperde met mijn ogen van het felle zonlicht. Ik had het idee nog maar een fractie gezien te hebben en toen ik dat tegen Braeckman zei, knikte hij instemmend.

'Ik heb niet meer willen doen dan u om te beginnen een idee te geven van de enorme rijkdommen van dat land. Een eeuwenoude cultuur met allerlei verschillende stammen en koninkrijken, elk met hun eigen geschiedenis, en zo'n overdadige flora en fauna dat zelfs nu de wetenschappers dat nog niet allemaal in kaart hebben gebracht. En een Belgische koning die eigenlijk alleen maar was geïnteresseerd in die natuurlijke bronnen die geld konden opleveren: ivoor, rubber, hardhout, later de mineralen, ja zelfs de cacao. Onze beroemde chocolaterie vindt hier zijn oorsprong.'

Toen we in de taxi zaten, voegde hij daar nog aan toe: 'Dit museum bevat voorbeelden van al die schatten, maar niet alleen dat, ook dit enorme bouwwerk zelf is betaald uit de opbrengsten daarvan.'

Onze volgende stop was midden in het centrum, voor een gebouw dat ik ook al had gezien vanuit mijn hotelkamer en dat ver uitstak boven de rest.

'Kijk,' zei professor Braeckman, 'dit is het Justitiepaleis, dat is van alles wat koning Leopold heeft laten neerzetten waarschijnlijk het meest ambitieuze geweest. Het moest zo groot worden dat men het vanuit de hele stad, zowel de Benedenstad als de Bovenstad, moest kunnen zien, ongeacht waar men zich bevond. Wel, dat is uitstekend gelukt, vindt u niet? In oppervlakte is het groter dan de Sint-Pieter in Rome en het wordt algemeen beschouwd als een van de fraaiste negentiende-eeuwse neoklassieke gebouwen in de wereld. Het is gebouwd naar een ontwerp van de architect Joseph Boelaert, die zich liet inspireren door klassieke tempels. Voor architecten waren de werken die ze voor koning Leopold mochten doen een droom. Er hoefde niet op geld te worden gelet en men kon materialen laten komen uit de hele wereld.'

We wandelden vervolgens verder door de stad. Het was me nu duidelijk dat professor Braeckman me wilde laten zien hoe groot de invloed van koning Leopold II was op het aangezicht van Brussel. We liepen langs het Koninklijk Paleis, waarvan de bouw al was gestart in 1820, maar dat werd afgebouwd en vervolmaakt door deze tweede koning van België, langs de Koninklijke Musea voor Schone Kunsten, door het Leopold Park, dat oorspronkelijk een dierentuin was, maar door de koning werd omgebouwd tot een wetenschappelijk park. We liepen door het Jubelpark en langs het bijbehorende paleis, inmiddels in gebruik als Koninklijk Museum voor Kunst en Geschiedenis, en een boog die duidelijk probeerde de Arc de Triomphe in Parijs de loef af te steken: allemaal gebouwd vanwege het gouden jubileum van de Belgische onafhankelijkheid. Er viel iets te vieren en dat moest groots worden aangepakt.

'Is het niet bijzonder wrang dat de kosten hiervan, en van alle festiviteiten die daaromheen werden georganiseerd, zijn betaald met de rijkdommen van een land dat toen zelf als een kolonie zwichtte onder ons bestuur?'

Ik hoorde de verwondering in zijn stem, alsof hij nog steeds moeilijk het kille cynisme dat uit die houding sprak kon bevatten.

Tijdens onze wandeling door de stad stopten we regelmatig voor prachtige oude huizen, gebouwd in art-nouveau-stijl.

'U heeft misschien weleens gehoord van Victor Horta? Dat was dé grote architect van de art-nouveaubeweging. Veel van de gebouwen die toen zijn neergezet werden in opdracht gebouwd van mensen die hun fortuin verdienden met de handel in de Congo. En niet alleen dat: veel van de materialen die men liet verwerken kwamen daar ook rechtstreeks vandaan: koper, hardhout, ivoor. Ik zal u daar later vandaag nog een mooi voorbeeld van laten zien.'

Door het enthousiasme van professor Braeckman bekroop mij het gevoel dat Afrika heel dichtbij was, maar het was geen prettige gewaarwording. Gebouwen die zonder de informatie van mijn gids vooral majestueus zouden lijken, sommige zelfs mooi, kregen door het bloed dat er blijkbaar zo overduidelijk aan kleefde iets onheilspellends.

Na het bezoek aan de stad namen we een taxi naar de buitenwijk Koekelberg. We werden afgezet voor de Nationale Basiliek van het Heilige Hart. De bouw startte in 1904, maar men kon het pas definitief afmaken in 1970. Begin 1900 was het geld van koning Leopold op; de machine die in werking was gezet om de Congo leeg te plunderen kwam door toenemend verzet van de lokale bevolking langzaam tot stilstand. Koning Leopold kwam ook onder steeds grotere internationale druk om zijn privékolonie van de hand te doen. Wereldwijd kwam er steeds meer kritiek, naar aanleiding van rapporten en verhalen over hoe daar door het privéleger van de koning, de zogenaamde 'Force Publique', werd huisgehouden.

Toen we voor het gebouw stonden, wees professor Braeckman naar boven: "Kijk, het gebouw is ruim negentig meter hoog en die enorme groene koepel bovenop is helemaal van koper, koper uit de Congo.' Hoofdschuddend voegde hij eraan toe: 'Deze basiliek is gewijd aan al diegenen die hun leven verloren voor België. De slachtoffers van de Eerste en Tweede Wereldoorlog en alle anderen die hun leven hebben opgeofferd voor hun vaderland. Nu moet u natuurlijk niet denken dat ook al die zwarte doden uit de Congo eronder vallen. Dat is een nationale schandvlek die we het liefst zo ver mogelijk wegstoppen.'

Zonder mijn commentaar af te wachten zei hij: 'Kom, laten we eerst iets gaan eten, dan gaan we daarna naar wat ik zelf als het hoogtepunt beschouw.'

We lunchten in een ander indrukwekkend voorbeeld van art nouveau: het Hotel van Eetvelde. Edmond van Eetvelde was als secretaris-generaal voor Congo de hoogste ambtenaar van het apparaat dat koning Leopold had opgezet om zijn kolonie te besturen. Ook aan hem was die rijkdom niet voorbijgegaan. Vloeren en wastafels van het fijnste marmer, prachtige brede spiraalvormige trappen van glimmend teakhout, de leuningen ingelegd met ivoor. Ik vroeg me af hoeveel slagtanden erin verwerkt zouden zijn. Hoge ruimtes met lambriseringen van verschillende soorten tropisch hardhout, allerlei kunstig gedraaid traliewerk van koper en andere metalen.

Een pronkstuk was het enorme bureau waaraan Van Eetvelde placht te werken en dat was gemaakt uit de stam van één boom die vele honderden jaren oud moest zijn geweest toen die werd geveld. Om uiteindelijk in Brussel als meubel te eindigen van de man die namens de koning toezag op de exploitatie van de Congo. Het bureaublad rustte op zware houten poten, waaromheen op een kunstige manier hele slagtanden waren gedraaid. Ik telde er achttien en met een mengeling van ongeloof en afkeer realiseerde ik me dat alleen al voor deze tafel negen olifanten het leven hadden gelaten.

Ik stond er lang naar te kijken. De mensen die dit hadden bedacht, moesten in de veronderstelling zijn geweest dat er aan die rijkdommen nooit een einde zou komen, noch aan het kappen van de bomen in de enorme regenwouden, noch aan de kuddes olifanten die zonder enige bedenking werden afgeschoten.

Na onze late lunch, het was inmiddels al tegen drieën, zei professor Braeckman: 'Kom, ik neem u mee naar het laatste dat ik u nog wil laten zien; de plek waar koning Leopold het meeste verbleef en waar hij zich aan het einde van zijn leven in eenzaamheid afzonderde.'

Na opnieuw een taxirit kwamen we aan bij het honderdzestig hectare grote Koninklijk Domein in Laken. Centraal op dat terrein stonden het Koninklijk Paleis, alweer een paleis, en het Leopold Monument, opgericht voor Leopold I, de eerste koning van België. Leopold II had de bedoeling om op dat terrein een soort architectonische wereldreis te scheppen, maar veel verder dan een Chinese en Japanse toren was hij niet gekomen.

Wat hij echter wel vervolmaakte, waren de Koninklijke Serres. Normaal waren ze slechts een paar weken in het voorjaar voor publiek geopend, maar mijn gastheer had weten te regelen dat we een kijkje mochten nemen. Het gebouw zelf bestond uit een zestiental grote kassen die met elkaar waren verbonden, met in het centrum een enorme glazen koepel. De voor die tijd lichte en transparante constructie was mogelijk gemaakt door verbeteringen in de massaproductie van glas, staal en ijzer. Het oogde als het skelet van een of ander enorm, prehistorisch beest. Binnen bevond zich een van de rijkste en meest diverse botanische tuinen ter wereld. Gedurende het veertigjarige koningschap van Leopold II was er vrijwel continu en met een niet-aflatende ijver gewerkt aan de vervolmaking van die enorme tuin. Binnen was er een adembenemende overdaad aan bomen, planten en bloemen.

'Hier lopen we temidden van al die tropische en subtropische planten, terwijl koning Leopold zelf nooit in Afrika is geweest. Hij heeft die wereld hier laten nabouwen om er in alle rust en afzondering, door niemand gestoord, van te kunnen genieten. Misschien zou hij wel van de Congo zijn gaan houden als hij dat land ooit had bezocht. Nu kon hij het leeg laten plunderen zonder enige wroeging,' constateerde professor Braeckman gelaten.

Tegen de avond vergezelde professor Braeckman mij naar het station. Mijn trein zou pas over een uur vertrekken en we maakten van de gelegenheid gebruik om een glas bier te drinken in de stationsrestauratie. Terwijl we nog wat zaten na te praten, zei hij ineens verschrikt: 'Ojee, er was nog iets dat ik u vergat te vertellen. Gisteravond schoot me te binnen dat Ernst mij een keer vertelde over een ernstige ruzie met de vader van dat meisje Ramona. Hij had die meneer Leimann iets gevraagd over de zaken die Kalisz deed met bedrijven uit Congo. U moet weten dat er enige tijd geleden in opdracht van de Veiligheidsraad van de Verenigde Naties een onderzoek is gedaan naar de huidige illegale plundering van de natuurlijke rijkdommen van Congo en hoe dat bijdraagt aan het in stand houden van het grootschalige conflict waarbij allerlei buurlanden zijn betrokken. Toen die onderzoekscommissie het rapport met hun bevindingen uitbracht, brak er een storm van publieke verontwaardiging uit. Er bleken namelijk veel bedrijven direct of indirect bij betrokken te zijn. Door die illegaal gewonnen mineralen, maar ook edelstenen zoals diamanten, te kopen van die bewapende bendes die daar opereren, houden ze dat conflict in stand. Met dat geld worden weer wapens gekocht en zo zit men eigenlijk in een soort vicieuze cirkel, en zijn de bedrijven medeschuldig aan het lijden van de bevolking. Die wordt door die gewapende facties van hun land verdreven en gedwongen om de metalen en edelstenen uit de grond te halen. Dat is pure slavenarbeid. Het rapport is uniek, omdat de bedrijven bij naam en toenaam worden genoemd en zelfs de namen van personen die erbij betrokken zijn. *Name and shame* noemt men die aanpak in het Engels. Amnesty International en andere mensenrechten- en ontwikkelingsorganisaties hebben hun nationale overheden onder druk gezet om die bedrijven aan te spreken op hun handelen en vooral op hun verantwoordelijkheden. Het is een zeer interessant rapport en het is gewoon te downloaden van de website van de VN. Kan ik u zeer aanraden, zoek maar eens onder rapport S/2002/1146.' Hij ging er kennelijk vanuit dat ik dat zou doen, want hij begon het nummer al op een servetje te schrijven, terwijl hij vervolgde: 'Kalisz werd ook genoemd. De beschuldiging aan hun adres luidde dat ze in meerdere gevallen mineralen hadden gekocht van partijen waarvan men had kunnen weten dat die op illegale wijze waren betrokken bij de exploitatie van die ertsen. Ze zaten misschien niet het dichtst bij het vuur, bij de feitelijke ontginning, maar wel in de handelsketen, en ze deden zaken met duistere partijen. Maar dat is nog niet alles: na dit rapport ging diezelfde commissie verder met de volgende fase van het onderzoek, dat bestond uit het aanspreken van al die bedrijven. Dat leidde tot een nieuw rapport, waarin de bedrijven werden geclassificeerd in vijf verschillende categorieën, gebaseerd op de mate waarin men het gedrag had gewijzigd na zo aan de schandpaal te zijn genageld. In de laatste categorie staan bedrijven die weigerden te praten met die onderzoekscommissie. Welaan, Kalisz viel daar ook onder. Ernst vertelde dat hij meneer Leimann daar op aan had gesproken, volgens hem had Kalisz beter wel een gesprek kunnen aangaan. Dat standpunt werd hem niet in dank afgenomen. Meneer Leimann was woedend en Ernst vreesde zelfs voor zijn ontslag.'

Ik had zijn verhaal met stijgende ergernis aangehoord. Hoe was het mogelijk dat hij zoiets belangrijks pas nu vertelde?

'Weet u nog ongeveer wanneer dat geweest is?'

'Niet precies, maar ik denk zo'n negen maanden geleden.

Uiteindelijk is het waarschijnlijk met een sisser afgelopen, want Ernst is niet ontslagen.'

'Nee, blijkbaar niet. Heeft Ernst er later nog weleens iets over gezegd?'

Professor Braeckman dacht even na en antwoordde toen: 'Nee, eigenlijk niet, en ik moet u zeggen dat ik er verder ook niet naar heb gevraagd. Zo belangrijk leek het mij ook weer niet.'

Toen ik die avond in de Thalys zat, op weg naar Amsterdam, keek ik in het donkere raam van een verlaten coupé naar mijn spiegelbeeld. Ik vroeg me af hoe het mogelijk was dat ik toen ik vanochtend alleen wakker was geworden op die hotelkamer, mijn alleenzijn had gekoesterd, me bevoorrecht voelde, terwijl die mij nu zo troosteloos en uitzichtloos voorkwam.

Ik probeerde mijn gedachten los te laten en te mediteren op mijn ademhaling, maar het lukte niet. Steeds weer kwamen er nieuwe gedachten op.

Toen ik nog een kind was, vergeleek mijn vader die gedachten met de wolken aan de hemel: 'Pas als jij je echt realiseert dat je niet je gedachten bent en ze los kunt laten, zul je niet meer een wolk zijn, maar de hemel zelf. En zeg nu zelf, jongen, ben je niet liever die grote hemel, die geen begin en geen einde kent, dan een wolk die daarin voorbij schuift en vroeg of laat oplost in die hemel?'

Mijn vader had er in ieder geval mee bereikt dat ik als ik omhoogkeek naar de hemel, automatisch aan hem moest denken. In deze door tl-balken verlichte coupé kon ik niets van die hemel zien. Misschien was dat wel wat ik miste.

Ik moest denken aan wat professor Braeckman had gezegd. Achteraf was ik blij dat hij zich dat op de valreep nog had herinnerd. Dat Ernst niet was ontslagen door Zeimann verbaasde me al hogelijk, maar wat mij nog veel meer bevreemdde, was dat hij zelf geen ontslag had genomen. Peter Fennema had immers gezegd dat hij en Ernst nog idealen hadden, in tegenstelling tot Ramona die alleen in geld geïnteresseerd leek, en wel geloofden in een betere wereld. Hoe kon Ernst dan voor een bedrijf blijven werken dat weigerde verantwoording af te leggen aan de VN over hun gedrag in Congo?

Ik kon het moeilijk met elkaar rijmen en kwam tot de conclusie dat ik opnieuw met Peter Fennema moest gaan praten, om hem deze keer maar eens onder druk te zetten.

XI

Ik was laat thuisgekomen maar had nog tot ver na middernacht zitten werken. Ik had op de website van de VN dat rapport opgezocht en geprint. Het materiaal was zo fascinerend dat ik uren had zitten lezen.

Toen de volgende ochtend om tien uur de telefoon rinkelde, lag ik nog vast te slapen. Het duurde lang voordat het tot me doordrong dat het mijn eigen telefoon was. Half slaperig liep ik naar de woonkamer, geïrriteerd dat ik zo uit mijn slaap was gerukt. Dat betekende voor de rest van de dag waarschijnlijk hoofdpijn.

De stem herkende ik meteen en dat droeg er weinig aan bij om mijn humeur te verbeteren.

'Jezus, Havix, dat duurde lang.'

Het was de chagrijnige stem van Anton de Vilder, een rechercheur van de afdeling Moordzaken van het Rechercheteam Regio Den Haag. Ik had een aantal keren met hem te maken gehad en we lagen elkaar bepaald niet. Volgens mij kon hij het trouwens met niemand goed vinden. Het was een gefrustreerde, onsympathieke hufter, die zich door het leven slecht bedeeld voelde en dat op iedereen bij wie hij zich dat kon veroorloven afreageerde. Ook ik viel daar in zijn ogen onder.

Hij was begin vijftig en zat in alle opzichten op een dood

spoor. Terwijl mensen om hem heen erin slaagden iets te bereiken, werd hij voor promoties steevast gepasseerd, en tot overmaat van ramp was zijn vrouw weggelopen. Niet eens met een andere man; ze had gewoon genoeg van hem. Hij had geen enkele zelfreflectie, alles wat misging was de schuld van anderen. Al die opgekropte frustratie maakte hem in mijn ogen tot een wandelende tijdbom.

'Goedemorgen Anton. Alles goed met jou?'

'Met mij wel, maar ik zit naast iemand die dat niet kan zeggen.'

'O. Is je vrouw bij je terug?'

Het was even stil en toen hij weer sprak klonk in zijn stem zijn afkeer van mij nog sterker door.

'Ik zit hier in een hotelkamer in Scheveningen, op de rand van het bed, en naast me ligt een dode neger op het tapijt. Met ingeslagen hersens.' Hij was even stil, in afwachting van een reactie, maar toen die niet kwam ging hij verder: 'En naast de telefoon ligt een blocnote met daarop jouw naam en telefoonnummer. Het blaadje zelf is weg, maar de doordruk is heel helder.'

'Dus?'

'Dus wil ik weten hoe je deze neger kent.'

'Als ik hem al ken. Er zijn zoveel mensen die mijn naam en telefoonnummer hebben. Sterker nog: het staat zelfs in het telefoonboek.'

'Gelul, Havix. Waar rook is, is vuur. Als je me niets wilt vertellen, dan laat ik je ophalen en dan houd ik je zo lang vast als is toegestaan. We hebben vast een hoop te bepraten, dus spring in je auto. Je moet naar het Hotel Atlantic. Ik verwacht je binnen het uur.' Zonder mijn antwoord af te wachten, verbrak hij de verbinding.

Terwijl ik de telefoon nog in mijn hand had, ging die opnieuw. Het was mevrouw Jimmink. Ze klonk even licht verwijtend toen ze zei dat ze me gisteravond meerdere keren had geprobeerd te bellen, maar dat ik steeds in gesprek was geweest. Ik was op dat moment zeker aan het internetten.

Maar vervolgens klonk ze opgelucht toen ze vertelde dat ze gisteravond iets na tienen was gebeld door Ernst: 'Het was maar een heel kort gesprek. Ik vroeg hem wat er aan de hand was, maar daar gaf hij geen antwoord op. Het enige wat hij meerdere keren achter elkaar zei, bijna als een bezwering, was: "Het gaat goed, u moet zich geen zorgen maken. Maakt u zich alstublieft niet ongerust mama, alstublieft, alles is goed. Ik hou van u, dat weet u toch?" Hij ging ook niet in op mijn vragen. Ik heb hem uw naam en telefoonnummer gegeven en gezegd dat u te vertrouwen bent en dat hij als hij hulp nodig mocht hebben met u contact op moest nemen. Ik hoop dat u me dat niet kwalijk neemt. Wat moet ik daar nu van denken? Maar ik ben blij dat ik tenminste zijn stem heb gehoord.'

Dat kon ik me voorstellen. Ook ik wist niet hoe ik dat telefoontje moest plaatsen, maar ik beloofde haar op de hoogte te houden.

In de auto overdacht ik dat er in ieder geval weer een teken van leven was. Ik moest me nu concentreren op De Vilder, die in Hotel Atlantic op me zat te wachten. Hij was het type rechercheur dat nooit verder kwam dan het vinden van de eerste eenvoudige sporen. Telefoonnummers nagaan die waren gebeld, bij de receptie vragen wie de kamer had geboekt, inmiddels had hij dat waarschijnlijk al gedaan. Na al dat soort basiswerk zou hij dan verder moeten proberen te komen, maar dan liep bij hem meestal het spoor dood. Hij was echter wel zo sluw om zich te realiseren dat er vele wegen naar Rome leiden en dat hij nu waarschijnlijk van mij gebruik kon maken, dat ik hem misschien verder kon helpen. En niet alleen dat, maar dat ik ook zeer waarschijnlijk niet met de eer zou willen gaan strijken. Ik was immers maar een ordinaire premiejager die na betaling uit beeld zou verdwijnen.

Ik gunde hem die eer, ik hoefde immers geen carrière te maken. Net zo goed als hij zich realiseerde dat ik hem van dienst kon zijn, was ook het omgekeerde het geval. Als dit op de een of andere manier met mijn opdracht had te maken, kon ik misschien ook van hem profiteren en van het onderzoeksapparaat dat hij tot zijn beschikking had.

Hij stond me in de deuropening van de hotelkamer op te wachten. Een lange, magere man, slecht gekleed in goedkope confectiekleding. Een bleek gezicht met scherpe contouren en een ontevreden, permanent chagrijnige uitdrukking. Zijn schedel was zichtbaar door het sluike haar dat al vroeg was uitgedund. Alles aan hem was grijs en versleten. Als het niet zo'n hufter was, zou ik misschien met hem te doen hebben gehad. Er was verder niemand, waarschijnlijk was de rest van het team alweer vertrokken, met vingerafdrukken, foto's en een eerste indicatie van op welke wijze en hoe laat het slachtoffer aan zijn einde was gekomen. Het zou ongetwijfeld een drukte van belang zijn geweest, maar die was nu duidelijk overgegaan in de stilte na de storm.

De Vilder nam niet de moeite om mij een hand te geven en kwam meteen ter zake: 'Kijk eerst maar of je hem herkent, dan praten we daarna wel verder.'

Hij liep voor mij uit de kamer in en zei kortaf: 'Nergens aankomen.'

Het was een luxe hotelkamer, met zo ongeveer alles in crèmekleur uitgevoerd, inclusief de sprei op het kingsize bed en de hoogpolige vloerbedekking. Het zou nog flink poetsen worden om de grote hoeveelheid bloed die uit het hoofd van de dode was gestroomd te verwijderen. Verder stond tegen een van de muren het typische lage wandmeubel: bureau en kaptafel tegelijk, erop een televisie, met erboven een enorme spiegel. Voor het grote raam met balkon, dat een riant uitzicht bood over de zee, stond een ronde tafel met een glazen blad en twee luxe fauteuils. Op die tafel stonden de resten van een maaltijd, gebruikt door één persoon, inclusief een lege wijnfles.

De man die op de grond lag was gekleed in een donkerblauw pak met een heel fijne krijtstreep, in de broek een keurige vouw en een colbert waarin geen kreuk viel te bekennen. Hij droeg verder een keurig gestreken, smetteloos wit overhemd, met gouden manchetknopen. De schoenen, die keurig glommen, waren zo nieuw dat de leren zolen nog helemaal glad waren, hij had er waarschijnlijk nauwelijks op gelopen. De smakeloosheid van de dikke gouden ketting om zijn nek, de brede gouden armband om zijn rechterpols, ook met grote schakels, en de vele ringen, ook allemaal van goud, staken schril af tegen die kleding. En omdat hij dat goud droeg op een donkere huid was het het eerste dat de aandacht trok als je naar de man keek. Het was ongetwijfeld ook de bedoeling geweest dat iedereen zag dat hij zich vol kon hangen met goud.

De man was groot en dik, een Arnold Schwarzenegger die al te lang niets meer aan zijn conditie had gedaan en aan alle kanten was gaan uitdijen. Dat zware lichaam moest met een enorme klap zijn neergekomen. Hij mocht dan chique kleding aanhebben, het detoneerde sterk met zijn ruwe gelaatstrekken. Het enige mooie aan hem was zijn ebbenhouten huidskleur, die zo diep donker was dat het bijna zwart leek.

Toen ik zo vlak bij hem neerknielde om naar zijn gezicht te kijken en naar de kleine varkensogen, die nu zonder iets te zien voor zich uit staarden, constateerde ik dat hij zelfs in zijn dood nog bruutheid en gewelddadigheid uitstraalde. Ik kon me goed voorstellen dat deze man bij zijn leven anderen angst had ingeboezemd.

'En?' vroeg De Vilder.

Terwijl ik overeind kwam, schudde ik mijn hoofd: 'Nee, nooit gezien. Geen gezicht om snel te vergeten.'

'Oké, je kent hem dus niet,' was zijn bitse conclusie. Ik kreeg niet de indruk dat hij dat al direct geloofde.

'Maar wat moet hij dan met jouw naam en telefoonnummer? Enig idee?'

Ik schudde opnieuw mijn hoofd. 'Nee, echt niet. Wie is het?'

'Een naam die ik niet kan onthouden.'

Hij pakte een paspoort uit zijn colbert. 'James Desiré Kabarebe. Met een Zimbabwaans paspoort. Hij komt dus ergens uit Afrika. Als beroep staat hier "businessman" aangegeven. Wat voor zaken hij deed weet ik nog niet, maar zo te zien verdiende hij er goed mee. Hij moet krom hebben gelopen van al het goud dat hij droeg. Hij had trouwens ook zijn portemonnee nog, inclusief geld en creditcards, dus het motief zal wel geen roof zijn geweest.'

Ik vroeg hoe laat hij was gevonden en De Vilder vertelde dat het kamermeisje het lijk vanochtend rond een uur of negen had aangetroffen. Er had geen bordje NIET STOREN op de deur gehangen, en ze was dan ook na een paar keer kloppen naar binnen gegaan.

'Waar is hij eigenlijk mee geslagen?'

Het moest een enorme klap zijn geweest, alsof iemand met een honkbalknuppel, aan het einde van een perfecte slagbeweging waarin alle kracht was verzameld, het hoofd van Kabarebe had geraakt. En ook uit de manier waarop de zijkant en achterkant van zijn hoofd waren verbrijzeld, sprak een brute kracht. Er liep een koude rilling over mijn rug bij de gedachte aan de woede die dit had veroorzaakt. Door de kamer was een spoor van bloed getrokken en zelfs op de muur, die ruim drie meter verwijderd was vanwaar hij was gevallen, zaten bloedspetters. Sommige druppels waren zo dik dat ze naar beneden waren uitgelopen. Als de hangers in natte verf die te dik is opgebracht.

'Een zware houten wandelstok, waarschijnlijk van het slachtoffer zelf. Het handvat is een kop van een olifant, uit ivoor gesneden, en met die kant is hij geslagen. Die stok is al mee naar het laboratorium, maar ik verwacht er niet veel van. Alleen een gek zou stom genoeg zijn om vingerafdrukken achter te laten. Hij is trouwens gisteravond vermoord. Volgens de dokter ligt hij al zo sinds een uur of tien, twaalf 's avonds, hij was al helemaal stijf geworden.'

'Ik neem aan dat je al bent nagegaan met wie hij heeft gebeld vanaf zijn kamer?' Zolang De Vilder me antwoord bleef geven, ging ik door met vragen.

'Ja, maar daar hebben we niets aan. Hij heeft niet de telefoon van het hotel gebruikt. Misschien wilde hij niet dat zijn gesprekken getraceerd konden worden, ik weet het niet. Hij zal wel een mobieltje hebben gehad, maar dat is verdwenen. Het zou me niet verbazen als de moordenaar dat heeft meegenomen.'

Dat leek mij ook waarschijnlijk. Misschien dat daardoor de speurtocht langer zou gaan duren, maar nu ze de naam van het slachtoffer hadden, konden ze beginnen met het in kaart brengen van de mensen die met hem waren omgegaan. Familie, vrienden, zakenrelaties van deze 'businessman'; ze zouden er nog een flinke klus aan hebben, net zoals ik trouwens, om dit een plaats te geven.

'Nou, ik wens je succes. Misschien kun je zelfs wel een tripje die kant op maken. Ik ben bang dat ik je niet verder kan helpen.'

Wat mij betreft was ons gesprek hiermee afgelopen, maar De Vilder dacht daar anders over en vroeg spottend: 'En Havix, vraag jij je niet af waarom ik je dit allemaal vertel?'

Ik trok verbaasd mijn wenkbrauwen op, maar zei verder niets.

'Ik geloof je niet, Havix. Je weet meer dan je zegt en je bent stom als je denkt iets voor mij achter te kunnen houden. Vroeg of laat komen we dan weer bij jou terecht. Nu vertel ik jou iets en voor wat, hoort wat. Slaap daar maar eens een nachtje over.'

Dat zou ik in ieder geval doen. Toen ik beneden langs de receptie liep, kon ik het niet laten om namens de recherche nog wat dingen te vragen. Ze waren nog zo overdonderd dat niet werd gevraagd om me te identificeren.

Meneer Kabarebe was pas gistermiddag aangekomen en had maar voor één nacht geboekt. Er had zich voor hem niemand gemeld bij de receptie en er waren ook geen berichten voor hem achtergelaten. En nee, ze kenden die meneer Kabarebe verder ook niet, dit was de eerste keer dat hij hier had gelogeerd.

Ik liet mijn telefoonnummer achter met de boodschap dat als er voor hem alsnog berichten binnenkwamen, ze contact met me moesten opnemen. Als De Vilder zou horen hoe ik me had voorgedaan als een collega van hem zou hij laaiend zijn, maar die kans leek me niet groot.

De Vilder had gelijk toen hij zei dat waar rook is ook vuur is. Ik twijfelde er niet aan dat deze moord rechtstreeks te maken had met datgene waarvoor ik was ingehuurd. Een dode neger uit Zimbabwe, met op zijn nachtkastje mijn naam en telefoonnummer. Van wie had hij die gekregen? Ik zou in ieder geval professor Braeckman bellen om te vragen of die naam hem iets zei. Die man was een wandelende encyclopedie voor wat betreft Congo, en als ik het me goed herinnerde was ook Zimbabwe bij het huidige gedonder in dat land betrokken.

Verder moest ik vandaag nog met Peter Fennema praten. Hij wist iets en dat uit hem zien te krijgen was door deze moord alleen nog maar belangrijker en dringender geworden. Misschien kruiste straks het spoor van de politie het spoor dat ik volgde. Als dat zo was, wilde ik wel een voorsprong hebben. Ik hoefde dan wel geen carrière te maken, maar ik kon wel een hoop geld verdienen als ik als eerste bij de finish aankwam. Toen ik Peter Fennema vanuit de auto belde, klonk hij niet verbaasd, alsof hij verwacht had dat ik weer contact zou opnemen.

Professor Braeckman bracht ik wel op de hoogte van het lijk dat was aangetroffen. Toen ik hem de naam noemde van het slachtoffer en zei dat hij uit Zimbabwe kwam, liet hij me even wachten: de naam klonk bekend en misschien kon hij me al meteen helpen.

Na een paar minuten kwam hij weer aan de lijn: 'Ja hoor, die meneer Kabarebe uit Zimbabwe is een van de personen die wordt genoemd in die onderzoeksrapporten. Hij is de huidige directeur van dat Congolese mijnbouwbedrijf Gécamines.'

Ik reageerde verbaasd: 'Is het niet vreemd dat een Zimbabwaan directeur is van een Congolees bedrijf?'

'O nee, integendeel, dat is zelfs heel goed te verklaren. Zimbabwe is namelijk ook bij dat conflict betrokken en staat aan de kant van de overheid, dus als het ware tegenover Uganda en Rwanda. Maar voor die steun moet natuurlijk wel een prijs worden betaald. Ook Zimbabwe is druk bezig met het leegroven van Congo en dat is zelfs nog erger en agressiever geworden nu president Mugabe in eigen land en op het internationale toneel steeds meer problemen heeft en verder geïsoleerd raakt. De economie draait slecht en via Congo kan hij toch nog geld binnenhalen. Dat gebeurt allemaal door een netwerk van politici, militairen en zakenlui. Maar Mugabe is degene die aan de touwtjes trekt, zonder zijn instemming gebeurt er niets. Weer een voorbeeld van een oud verzetsstrijder met idealen die eindigt als een corrupte dictator die koste wat kost aan de macht wil blijven. En niemand die er iets aan doet, want al die machthebbers in Afrika houden elkaar de hand boven het hoofd. Onder het motto: vandaag jij, morgen ik.'

Toen ik hem vroeg of hij enig idee had wat die Kabarebe in Scheveningen deed, moest hij me het antwoord schuldig blijven. 'Maar,' besloot hij, 'u kunt ervan uitgaan dat als zijn dood bekend wordt, dat in Zimbabwe niet onopgemerkt zal blijven.'

XII

Toen Peter Fennema een paar uur later mijn stamcafé binnen-
liep, zag ik direct dat hij er niet zo ontspannen en goedlachs
uitzag als de vorige keer. Van zijn jongensachtige bravoure
was niet veel over. Hij keek me somber aan.

Ik besloot met de deur in huis te vallen: 'Wat is Ernst te weten gekomen over Kalisz? Ik ben net terug uit België en heb
met een professor Braeckman gesproken. Hij was bezig met
een onderzoek naar de exploitatie van mineralen in Congo en
Ernst hielp hem daarbij. Kalisz was blijkbaar op de een of andere illegale manier bij de handel in die mineralen betrokken,
want ze worden genoemd in een rapport van een onderzoekscommissie van de VN. Wist jij dat? En wat is Ernst zelf over
Kalisz te weten gekomen? En maak me niet wijs dat je nergens
van af weet.'

Hij aarzelde niet toen hij antwoordde. Hij had blijkbaar al
eerder besloten mij te vertellen wat hij wist en hij leek opgelucht om dat nu te kunnen doen.

'Ernst is in eerste instantie met die professor in contact gekomen uit pure belangstelling voor Congo en de bizarre geschiedenis van dat land. Dat werd natuurlijk versterkt toen hij
daar door zijn werk voor Kalisz van zo dichtbij mee te maken
kreeg. Voordat hij bij professor Braeckman op bezoek ging,
had hij nog geen bedenkingen over Kalisz. Pas toen hij met

hem had gesproken veranderde dat, vooral door dat rapport dat u net noemde. De inhoud daarvan is schokkend en er werd in allerlei krantenartikelen veel aandacht aan besteed. U heeft er nu dus ook van gehoord. Ik weet nog hoe opgewonden Ernst was toen hij mij een kopie gaf. In een van de bijlagen wees hij mij de naam van Kalisz aan, in de categorie waarvoor de onderzoekscommissie voorstelde dat er tot nader order beperkingen moesten worden opgelegd. In plaats van te proberen met de commissie contact op te nemen om in een beter daglicht te komen, werd Kalisz in het tweede rapport opnieuw vermeld, in de categorie die niet met de onderzoekscommissie wilde praten. Ernst zat er oprecht mee dat hij voor een bedrijf werkte dat blijkbaar in zulke praktijken was verwikkeld. Hij zou niet eens kunnen werken voor een bedrijf dat sigaretten maakt, dus laat staan voor dit.'

Ik onderbrak hem: 'Dus toen heeft hij Leimann daarop aangesproken. Of niet?'

Hij keek me verbaasd aan: 'Ja, dat klopt. Heeft u dat ook van professor Braeckman gehoord? Ernst zei me dat hij het vriendelijk had gevraagd, maar dat Leimann woedend was geworden. Hij ontkende alles en Ernst moest zich maar afvragen wie hij wilde geloven: hem of die commissie. Kalisz deed al meer dan veertig jaar zaken met bedrijven in Congo en ze verkochten aan gerenommeerde bedrijven over de hele wereld. Hij verweet Ernst naïef te zijn. Ik denk dat als Ernst niet zo goed in zijn werk zou zijn geweest, Leimann hem meteen zou hebben ontslagen.'

Ik maakte een einde aan zijn nerveuze woordenstroom. 'Maar dat gebeurde niet. En hijzelf nam ook geen ontslag. Vooral dat laatste vind ik onlogisch voor iemand die net zoals jij idealen heeft. Leg dat eens uit.'

Hij liep rood aan en leek zich nog ongemakkelijker te voelen: 'Ernst wilde dat wel doen, maar ik heb hem op andere gedachten gebracht. Ik kwam met het idee dat hij zelf toch direct na kon gaan wat er waar was van die aantijgingen van die commissie. Hij zat immers dicht bij het vuur? Als het wel bleek te kloppen, dan konden we die informatie toch naar buiten brengen of doorspelen aan die commissie? Als Kalisz weigerde om mee te werken, dan kon Ernst die rol toch vervullen? Maar dan moesten we wel harde feiten hebben.'

'En, hebben jullie die gevonden?'

'Nog niet. We hadden wel een enorme hoeveelheid gegevens, maar die waren we nog aan het uitzoeken. We hadden afgesproken dat Ernst vooral naar de cijfers zou kijken en dat ik de namen van handelspartners zou natrekken. En toen waren hij en Ramona plotseling verdwenen.'

Ik keek hem nauwlettend aan: 'Dat kwam voor jou volkomen onverwacht?'

'Ja, natuurlijk. In eerste instantie nam ik hem dat kwalijk en pas later begon ik me zorgen te maken. Sinds hij weg is, heeft hij niets van zich laten horen. Ik snap er niets van en denk nog steeds dat het met Ramona te maken heeft. Zij moet hem overgehaald hebben. Zelfs mevrouw Jimmink heeft hij niet gebeld. Vooral dat zit me dwars, want hij was altijd heel zorgzaam voor haar.' Aan alles merkte ik dat die bezorgdheid van Peter Fennema oprecht was.

'Dat heeft hij gisteravond laat wel gedaan.'

Er viel een last van zijn schouders. Alsof er een wolk voor de zon was verdwenen, zo lichtte zijn gezicht op: 'O gelukkig. Geweldig. Dat is prima.'

In zijn stem klonk de emotie door. Hij kon inderdaad niet liegen. Toen hij van de eerste opwinding was bekomen, vroeg hij: 'En, wat had hij te vertellen?'

'Niet veel, alleen maar dat ze zich geen zorgen hoefde te maken.' Ik vertelde er niet bij dat Ernst volgens mevrouw Jimmink eerder zichzelf gerust had proberen te stellen.

'Gelukkig. Er valt een last van mijn schouders.'

'Dat is mooi, maar ik kan helaas nog niet hetzelfde zeggen.'

'Sorry, dat is natuurlijk ook zo. U moet ze nog zien te vinden. Bent u wat dat betreft al wat wijzer geworden?'

'Ja en nee. Hoe dan ook is de zaak veel ernstiger dan jij nu nog denkt en ik tot vanochtend dacht.'

Hij keek me verbaasd aan.

'Ramona en hij zijn niet alleen verdwenen, ze hebben ook nog eens 2,7 miljoen euro van haar vader gestolen.' Ik gaf hem geen tijd om te reageren. 'En ik kom net uit Scheveningen waar ik op verzoek van de politie een lijk moest identificeren. Een neger met een Zimbabwaans paspoort die vermoord op zijn hotelkamer lag.'

'Mijn God, wat betekent dat in vredesnaam?'

De opluchting van daarnet had plaatsgemaakt voor een uitdrukking die een mengeling was van bezorgdheid en verbazing. Zijn hersens waren waarschijnlijk als een razende aan het werk om wat hij hoorde een plaats te geven. Nu moest ik hem aan zijn verstand brengen dat als hij iets wist, hij dat niet achter moest houden.

'Ik heb nog geen idee,' zei ik, 'maar één ding is duidelijk: alles wat je weet moet je me vertellen. Jullie wilden blijkbaar om een of andere ideële reden uitzoeken wat Kalisz deed. Dat vind ik geweldig, prima, maar het is nu geen spelletje meer. Er is iemand vermoord. Begrijp je dat? Ik heb in mijn werk zelden of nooit met moord te maken, maar als het gebeurt dan haat ik het. Met moord wordt er een grens overschreden; alles wordt anders en er is in ieder geval geen weg terug meer. Dat is in ons nadeel en daarom haat ik dat soort zaken. Ik kan ook nog helemaal niet inschatten wat de gevolgen zijn van deze moord. Als je iets weet, moet je dat zeggen. Begrijp je dat?'

Hij knikte ja, maar ik vroeg me af of het echt tot hem doordrong. Pas toen ik die vraag herhaalde, knikte hij met meer overtuiging.

Ik vertelde hem in het kort wat ik tot nu toe had ontdekt. De naam van de vermoorde man zei hem niets. Hij had ook geen idee waar Ernst zijn gegevens kon hebben opgeslagen. Voor zover hij wist, bewaarde hij dat gewoon op zijn eigen computer. Hij beloofde me om in de gegevens die hij had over Kalisz, met betrekking tot de bedrijven waarmee ze zaken deden, na te gaan of daar ook bedrijven uit Zimbabwe bij zaten. Veel meer kwam ik nu niet te weten en we namen afscheid. Aan Peter Fennema's houding was te zien dat hij vertrok met een nog zwaarder gemoed dan waarmee hij was gekomen, de opluchting was maar tijdelijk geweest.

Ik had hem misschien meer gerust moeten stellen, maar ik had er geen zin in. Ergens onderweg had Ernst besloten alleen verder te gaan en zijn vriend achter te laten. En dat terwijl het juist die vriend was die hem op het idee had gebracht de zaken van Kalisz aan een nader onderzoek te onderwerpen. Door deze laatste ontwikkelingen zou Peter Fennema zich waarschijnlijk schuldig voelen over wat hij in gang had gezet. Ik kon me er niet mee bezighouden. Het was al erg genoeg dat er nu een moord was gepleegd die iets te maken leek te hebben met de zaak waarmee ik bezig was.

Tot nu toe had ik me helemaal kunnen concentreren op het volgen van een spoor. Nee, zelfs nog op het vinden van een spoor. Maar nu zou ik ook achter me moeten kijken, terecht of niet, en bij wijze van spreken in een restaurant met mijn rug tegen de muur moeten gaan zitten. Dat alles zou me afleiden van datgene waar het om ging. Tot overmaat van ramp zou ik ook nog die hufter van een De Vilder op mijn rug krijgen.

XIII

Het was tijd om te gaan praten met Leimann. Niet in mijn stamcafé, maar bij hem op kantoor, dat wilde ik nu wel eens zien. Toen ik zijn secretaresse belde en zei dat ik hem dringend moest spreken, liet ze me na een kort ogenblik weten dat meneer Leimann mij onmiddellijk kon ontvangen.

Het kantoor was op de Prins Hendriklaan. Een brede en stille straat met statige oude herenpanden en prachtige oude bomen. Vroeger waren die huizen gebouwd door rijke kooplui en werden ze slechts bewoond door één gezin, met hun bedienden. Inmiddels waren er voornamelijk kantoren gehuisvest en wie er nog woonde, moest meestal genoegen nemen met een etage. Notarissen, reclamebureaus, makelaars, financieel adviseurs en ook dus Kalisz.

In een straat waar de namen van de meeste bedrijven op chique naambordjes stonden viel dat van Kalisz International Trading Company Limited uit de toon: op een eenvoudig bordje stond met kleine letters de naam van het bedrijf dat blijkbaar op de nichemarkten voor de handel in speciale metalen zo'n belangrijke partij was en door de VN in een categorie was geplaatst waaraan een luchtje zat. Het zou me niet verbazen als er ook achter andere gevels in deze straat zaken werden gedaan die het daglicht niet konden verdragen. Het was geen toeval dat juist in dit soort buurten criminelen en hun handlangers uit de 'bovenwereld' werden geliquideerd.

Toen de buitendeur elektronisch werd geopend, kwam ik binnen in een soort sluis, waar een beveiligingsbeambte me al stond op te wachten. Pas nadat ik uitgebreid was gefouilleerd, zonder dat er een woord werd gesproken, ging de tweede deur open. Daar stond de secretaresse van Leimann al klaar. Ze begroette me vriendelijk en ging me voor. We gingen een aantal trappen op, langs deuren die stuk voor stuk waren gesloten, tot we op de derde verdieping voor een glazen deur stonden die toegang gaf tot een grote ruimte, die zo te zien de hele etage besloeg.

Op de deur stond in zwarte letters: DEALING ROOM VERBODEN VOOR ONBEVOEGDEN. Met in mijn achterhoofd de ervaring hoe ik was binnengekomen, leek me dat van toepassing op het hele kantoor, maar hier waren blijkbaar nog minder mensen welkom. We konden niet doorlopen, dat kon alleen maar met gebruik van een pasje. Zo te zien was dit het zenuwcentrum van de activiteiten van Kalisz. In de vorm van een ovaal waren een groot aantal bureaus tegen elkaar gezet, waaraan zo'n vijftien personen zaten. Allemaal mannen, er was geen vrouw te bekennen. Ernst was niet de enige jonge werknemer geweest, want ik zag nog een aantal jonge gezichten, maar er zaten ook oudere mannen bij.

Elk van die handelaren, want dat waren het ongetwijfeld, zat in een soort cockpit, met links en rechts een in het bureau verwerkte telefoon en voor en naast zich een serie beeldschermen. Verder was elk bureau voorzien van een aantal toetsenborden en een microfoon. Op de schermen van de handelaar die het dichtst bij mij zat zag ik allemaal kolommen met cijfers, die voortdurend leken te wijzigen. Op een ander scherm kwamen vrijwel zonder onderbreking tekstberichten binnen, waarschijnlijk nieuws dat van invloed zou kunnen zijn op de koersen van alles wat hier werd verhandeld.

Sommigen waren druk aan het typen op hun toetsenbord of

aan het praten in de microfoon. Anderen hingen achterover in hun stoel, maar ondanks die achteloze houding week hun blik geen seconde van de schermen voor hen. Iedereen was geconcentreerd aan het werk, inclusief Leimann zelf.

Deze keer droeg hij wat waarschijnlijk zijn werkkleding was: een donkere pantalon, een eenvoudig wit overhemd met opgerolde mouwen en een loszittende stropdas. Hij had zelfs geen keppeltje op.

Toen hij mij opmerkte, stond hij op en kwam naar me toe. Op het moment dat hij de deur opendeed, hoorde ik pas dat het daarbinnen een drukte van belang was. De ruimte was zeer goed geïsoleerd, want van die herrie kwam niets naar buiten. Hij begroette me en ging me voor naar de vierde verdieping. Terwijl hij voor mij uit liep, rolde hij zijn mouwen naar beneden en trok zijn stropdas strak.

Zijn kantoor bevond zich op de zolderverdieping. Ook dit was één grote ruimte, met in het schuine dak enorme ramen. Daardoor was de kamer erg licht, maar vooral de persoon die achter het bureau zat had een onbelemmerd uitzicht op de hemel daarboven. Zo kon je de vier seizoenen in die hemel voorbij zien trekken, als je tenminste de moeite nam om zo nu en dan achterover te leunen. Een andere mogelijkheid was er overigens niet, want er waren geen ramen die een blik naar de wereld beneden boden.

De kamer was verder eenvoudig ingericht, maar het was wel duidelijk dat hier de baas zetelde. Naast zijn bureau stond in een van de hoeken een leren bankstel en het midden van de kamer werd in beslag genomen door een grote langwerpige glazen tafel met een tiental stoelen, van hetzelfde soort leer als het bankstel. Ik nam aan dat hier regelmatig werd vergaderd. Langs de wanden stonden glazen kasten met daarin allerlei mineralen. Hoewel ik erheen liep en er enige tijd aandachtig naar stond te kijken, vatte Leimann dat niet op als een uitnodiging om er iets meer over te vertellen.

Hij gebaarde dat ik tegenover hem aan het bureau plaats

kon nemen en uit zijn houding begreep ik dat we direct ter zake konden komen. Ik wist inmiddels al aanzienlijk meer dan toen ik hem voor de eerste keer ontmoette, maar ik was niet van plan het achterste van mijn tong te laten zien. Ik informeerde hem niet over de activiteiten van Ernst Jimmink en Peter Fennema, maar ik vertelde hem wel van mijn bezoek aan professor Braeckman en dat Ernst bezig was geweest hem te helpen met een onderzoek.

De hele tijd dat ik aan het woord was verdeelde hij zijn aandacht tussen mij en de koersen die voorbij flitsten op een computerscherm op de hoek van zijn bureau, een houding die mij zowel verbaasde als irriteerde. Het leek me dat nu hij een update kreeg van hoe het ging met de speurtocht naar zijn dochter, elke andere activiteit, althans tijdelijk, minder belangrijk zou zijn, maar daarin vergiste ik me blijkbaar.

Pas toen ik hem vertelde van mijn bezoek aan Scheveningen en zei dat er iemand was vermoord met de naam James Desiré Kabarebe, afkomstig uit Zimbabwe, keek hij me voor het eerst langer aan, zonder evenwel enige uiterlijke reactie te tonen. Ik was dan ook verbaasd dat hij bevestigend antwoordde toen ik hem vroeg of hij die man had gekend.

'Ja. Sinds een jaar of twee was hij de nieuwe directeur van Gécamines en ik ontmoette hem zo nu en dan.'

'U deed zaken met hem?'

'Ja, inderdaad. Ons bedrijf doet al vele jaren zaken met Gécamines. Onder de vorige president Mobutu waren er niet zoveel wisselingen van de wacht, maar sinds die ten val is gekomen, heb ik de ene na de andere directeur zien komen en gaan. Ik kon het nauwelijks bijhouden. En, om eerlijk te zijn, het wordt steeds moeilijker om samen te werken.'

'In welk opzicht?'

'Misschien heeft u van die professor gehoord dat Gécamines altijd al een soort melkkoe is geweest voor wie op dat moment aan de macht was. Maar toen wij in de tijd van Mobutu zaken deden, was een contract nog een contract. Nu blijken afspraken vaak niets waard te zijn. We sluiten een contract af, om er dan later, via via, achter te komen dat dezelfde spullen aan iemand anders zijn verkocht. Reclameren heeft geen zin, want de mensen die het nu voor het zeggen hebben weten niet wat het woord afspraak betekent.'

'Dat lijkt me dan wel heel lastig werken.'

'Ja, en met deze man was het bijzonder moeilijk. Weet u waarom? Meneer Kabarebe kwam uit Zimbabwe.' Hoewel hij net had gehoord dat Kabarebe was vermoord, had dat hem niet milder gestemd: hij sprak het woord 'meneer' met duidelijke minachting uit. 'Hij was aangesteld met maar één doel: maximaliseer de opbrengsten voor Zimbabwe, en dat van een bedrijf dat in naam nog steeds Congolees is. Hij maakte er geen geheim van dat hij Gécamines leidde met dat ene doel.'

'En met zo iemand deed u zaken?'

'Ja. Het is onmogelijk voor een bedrijf als Kalisz om geen zaken te doen met bedrijven in Congo. Dat land herbergt enorme minerale reserves. Wij zijn een intermediair tussen vraag en aanbod en veel van dat aanbod is daar geconcentreerd, of ik dat nu leuk vind of niet. Aan iedereen die een mening heeft over met wie wij zaken doen antwoord ik overigens dat men zich beter kan afvragen wat de betekenis is van een waardeoordeel dat is gebaseerd op naïviteit. Tegen u hoef ik dat niet te zeggen, want ik denk dat u daar te intelligent voor bent.'

Ondanks dat koele antwoord, met die zakelijke ondertoon, had ik de indruk dat dit onderwerp heel gevoelig lag. Ik vroeg me af waarom. Ik was niet zo naïef om te geloven dat hij misschien wel een conflict zag tussen wat hij enerzijds deed als zakenman en anderzijds wat hij daarvan vond vanuit zijn strenge geloofsovertuiging. Met mijn volgende opmerking probeerde ik de scherpte uit ons gesprek te halen: 'Hij zat goed in het pak en hij hing helemaal vol met goud, dus persoonlijk zal het hem ook niet slecht zijn vergaan.'

'Nee, dat klopt. Het was net een ekster, verzot op alles wat glimt. Zelfs zijn mobiele telefoon was van goud, puur goud welteverstaan.'

'Die heeft u dus weleens gezien?' vroeg ik enigszins verbaasd.

'Ja. Hij had de gewoonte om voortdurend te bellen als we in gesprek waren. Dat zie je wel vaker bij dat soort mensen. Op die manier hebben ze het gevoel belangrijk te zijn en indruk te maken.'

'Jammer, dat apparaat had ik graag willen zien, maar volgens de politie is het verdwenen.'

Hij keek me strak aan maar ging niet in op wat ik had gezegd. Zijn blik dwaalde vervolgens weer af naar zijn beeldscherm.

'Zijn dood lijkt u niet veel te doen, u maakt in ieder geval geen geschokte indruk.' Ik probeerde mijn constatering zo neutraal mogelijk te laten klinken en deze keer leek hij het ook niet op te vatten als kritiek.

'Nee, dat ben ik ook niet. Misschien ben ik al te vaak met de dood in aanraking gekomen. Hier kunnen we het ons misschien nog veroorloven om met onze rug naar de dood toe te staan en het bestaan ervan te ontkennen, maar in Afrika is dat onmogelijk. Verder zal het feit dat ik deze man niet sympathiek vond ook meespelen.'

'Heeft u enig idee wat hij in Scheveningen kwam doen?'

'Nee, eigenlijk niet. Hij kwam in ieder geval niet voor mij. De keren dat ik hem sprak, was dat of in Kinshasa of in zijn huis in Brussel.'

'In Brussel?'

'Ja, goed voorbeeld doet goed volgen; Mobutu is daarmee begonnen. Een deel van het geld dat hij stal, investeerde hij in onroerend goed en Brussel was een van de favoriete bestemmingen. In de tijd van de Koude Oorlog was Mobutu een graag geziene gast in veel Europese landen. En juist België en Congo hadden nauwe historische banden. Nadat hij het voorbeeld had gegeven, kochten vervolgens ook veel mensen uit de dievenbende om hem heen huizen in Brussel. U zou er versteld van staan als u wist hoeveel van die prachtige en imposante huizen in de chique buitenwijken van die stad eigendom zijn van Congolezen. België ontving die bezoekers uit hun voormalige kolonie met open armen.'

'Brussel heeft zo te horen vele gezichten,' zei ik met een glimlach.

Toen Leimann me niet-begrijpend aankeek, vertelde ik hem van de rondleiding van professor Braeckman, die in het teken had gestaan van koning Leopold ii. Ik besloot met: 'Blijkbaar had Mobutu het niet van een vreemde.'

'Even ter zake,' zei hij, mijn opmerking negerend, 'ik heb geen idee wat Kabarebe in Scheveningen te zoeken had. Denkt u dat het met onze zaak te maken heeft?'

'Dat weet ik wel zeker. Hoe komt die man anders aan mijn naam en telefoonnummer?'

Leimann waagde zich niet aan een antwoord, maar concludeerde: 'Dan is het jammer dat hij vermoord is, want dan loopt dat spoor dood.'

'Die conclusie trekt u sneller dan ik.'

Leimann leek even te overwegen wat ik zei, maar ging er niet verder op in.

'Heeft u het idee dat u Ramona op het spoor bent? U brengt me op de hoogte, maar ik hoor niets concreets, u heeft het over zaken waarvan ik niet kan volgen hoe die in verband zouden staan met haar verdwijning.'

Zijn antwoord leek in niets op het smeken van een wanhopig ongeruste vader die mij koste wat kost een positief antwoord probeerde te ontlokken om zijn eigen angst te onderdrukken. Die tegen beter weten in iets wilde horen dat hem kon geruststellen. Daar moest ik voorlopig echter nog maar geen conclusies aan verbinden, want Leimann leek me niet iemand die zich snel zou laten gaan. Hij had het me ook niet geërgerd of verwijtend gevraagd, dus ik had nog de ruimte en tijd om verder te werken.

'Nee, dat klopt, ik heb nog niets concreets, maar toch wil dat niet zeggen dat ik ze niet op het spoor ben. Dat klinkt vaag, maar meer kan ik u niet bieden op dit moment.'

'Goed, dat begrijp ik. Ik hoop alleen dat het niet te lang duurt voordat u dat wel kunt. Hoe langer ik niets hoor van Ramona, hoe verder ze van mij verwijderd raakt. De tijd werkt in ons nadeel.'

Wat Leimann had gesuggereerd was dat hoe langer Ramona wegbleef, hoe groter de kloof tussen hen zou worden. Met elke dag die verstreek, werd het moeilijker de ontstane schade te herstellen. Dat begreep Leimann en daar was hij bang voor. Het was eigenlijk voor het eerst dat hij iets had getoond van de gevoelens van een vader voor zijn dochter. Elke dag dat Ramona geen contact opnam met haar ouders gaf ze een signaal af dat door hen als zeer pijnlijk moest worden ervaren.

Ik vroeg me af of zij zich dat realiseerde.

XIV

Het was grauw en de dag drukte op me. De ochtenden en de avonden functioneerde ik het best, de middagen konden wat mij betreft worden overgeslagen. Die ademden leegte, eenzaamheid en zinloosheid. 's Middags was ik me het meest bewust van de tijd en het verstrijken ervan. Zelden had ik het gevoel die goed besteed te hebben.

Zelfs toen Eileen nog leefde, voelde ik me op zulke momenten zo onrustig dat ik het liefst alleen was, misschien ook wel omdat ik dan geen prettig gezelschap was. Met de jaren leek dat gat tussen de ochtend en de avond alleen nog maar groter te worden en zag ik er steeds meer tegenop.

Om aan dat gevoel te ontsnappen was ik eraan gewend geraakt om regelmatig naar de sauna te gaan en me onder te dompelen in licht, warmte en de lucht van eucalyptus. Na lang zoeken had ik een sauna gevonden waarin de verlichting zo zuiver was dat het leek alsof de zon scheen. Het was er schoon, aangenaam warm en voor het interieur was gebruik gemaakt van eenvoudige, natuurlijke materialen.

De middagen waren meestal rustig en het leek wel of juist daardoor de mensen minder behoefte hadden om met elkaar te praten. Ik werd in ieder geval met rust gelaten. Ik zat afwisselend in de sauna en het Turkse bad, om tussendoor voetbaden te nemen. Rechtop zittend, op een houten bankje, met mijn voeten in het water en mijn ogen gesloten, slaagde ik erin om aan niets te denken, om alleen aanwezig te zijn. Het enige wat ik deed was me concentreren op mijn ademhaling.

Centraal in het boeddhisme staat de noodzaak van oefening. Lezen over mediteren was in de ogen van mijn vader volkomen zinloos. Ik moest gaan zitten en mijn gedachten onder controle krijgen.

'Je bent niet je gedachten, jongen, dat is een misverstand. Die komen en gaan, in een tempo dat nog hoger ligt dan de snelheid waarmee een vlot wordt meegesleurd door het kolkende water van een snelstromende rivier. Geen wonder dat we aan het einde van de dag zo moe zijn en niets liever willen dan slapen. En dat terwijl we niets meer hoeven te doen dan van dat vlot te springen en de kant zien te bereiken. Als dat je is gelukt en je rustig aan de waterkant zit, kijkend naar die wilde stroom, zul je niet anders kunnen dan glimlachen om je vroegere onwetendheid.'

Wat ik van die ideeën ook mocht vinden, de ervaring had me inmiddels geleerd dat ik me na zo'n saunabezoek verfrist voelde, beter functioneerde en tot nieuwe inzichten kwam. Dat leek ik nu meer dan ooit nodig te hebben.

De Vilder belde 's avonds met de mededeling dat ze inmiddels wisten wie Kabarebe was. Het klonk alsof hij niet erg blij was met die wetenschap. Ik zat net thuis te eten en was van plan vroeg naar bed te gaan. Toen ik zijn stem hoorde, vreesde ik dat daarvan niets terecht zou komen.

De recherche had natuurlijk geïnformeerd bij het Zimbabwaanse consulaat en daar waren vervolgens alle stoppen doorgeslagen. Op hoge toon werd volledige informatie geëist over wat er was gebeurd, en niet alleen dat, men wilde bij het onderzoek worden betrokken en van minuut tot minuut op de hoogte worden gehouden over de voortgang. Men had het over een zaak van staatsbelang, over nationale veiligheid en de directe belangstelling van hun president Mugabe.

Het zou me niet verbazen als ze het ook een mooie gelegenheid vonden om nu de Nederlandse overheid eens het vuur na aan de schenen te leggen. De laatste tijd waren immers ook in Nederland de geluiden sterker geworden die aandrongen op het vertrek van Mugabe. Of om in ieder geval eerlijke verkiezingen uit te schrijven.

De Vilder was er duidelijk niet blij mee en omdat hij verder nog geen enkel lijntje had, stortte hij zich op mij. Deze keer moest ik naar het bureau komen en daar hield hij me uren bezig. Hij liet me lang wachten, sprak kort met me, liet me vervolgens weer lang wachten en zo ging het door. Ik kon hem natuurlijk van alles en nog wat vertellen, maar dat kwam mij niet uit en het zou hem ook niet dichter bij een oplossing hebben gebracht. Zijn inmenging zou voor mij de zaken alleen maar ingewikkelder maken. Het vooruitzicht dat hij bijvoorbeeld op bezoek zou gaan bij mevrouw Jimmink trok me niet bijzonder aan. Ik wist niet wie Kabarebe had vermoord en De Vilder had ook geen idee. Kortom: op dit moment hadden we niet veel aan elkaar. Er restte mij niets anders dan te wachten en de tijd uit te zitten.

De enige worst die ik De Vilder voorhield, was dat als ik iets zou ontdekken, hij dat als eerste zou horen. Dat leek hem eerst een mager aanbod, maar toen hij me uren later liet gaan – het was inmiddels al ver voorbij middernacht – was hij waarschijnlijk ook zelf tot de conclusie gekomen dat er voor dit moment niet veel meer in zat. Dat had hij veel eerder kunnen doen, ik had zelfs niet naar het bureau hoeven te komen, maar De Vilder was iemand die eerst handelde en dan pas nadacht.

De volgende ochtend werd ik vroeg gebeld door mevrouw Jimmink met de mededeling dat er een brief was gekomen voor Ernst. Van een bedrijf met een naam die ik normaal gesproken nietszeggend zou hebben gevonden, maar die me nu als muziek in de oren klonk; Global Presence Webhosting Services liet in een algemeen schrijven al haar klanten weten dat men zich om een aantal redenen gedwongen zag de tarieven te verhogen voor het gebruik van hun server als *host*.

Binnen het uur was ik bij haar en toen ik de brief las, wist ik dat ik beet had. Mijn geduld was op de proef gesteld, maar nu werd opnieuw bevestigd wat ik uit ervaring wist. Er wordt altijd een spoor achtergelaten, altijd. Er is niet zoiets als 'in rook opgaan' en deze brief was een grote, een heel grote voetafdruk.

Toen ik het bedrijf belde en me voordeed als de vader van Ernst Jimmink, die wilde weten waar deze brief op sloeg, ik wist niet eens dat mijn zoon een eigen website had, kreeg ik na een aantal keren doorschakelen iemand aan de lijn die me zonder enige aarzeling het adres gaf: www.ccs.nl.

Als volgende stap had ik Nico Opaal gebeld en nu zat ik opnieuw naast hem. Nadat hij het adres van de website had ingetikt, verscheen er op het scherm een neutrale grijze achtergrond met daarop in bloedrode letters: 'Congo Central Station'. En, om mijn geduld op de proef te stellen, een klein kader waarin stond dat voor toegang een password was vereist. Het 'Central Station' uit Joseph Conrads *Heart of Darkness* had zich ergens aan de kust van Afrika bevonden. Ernst Jimmink had daar een eigentijdse versie van gemaakt. Ik stond voor de poort, maar kon nog niet naar binnen.

Gedurende bijna twee uur probeerde Nico van alles, maar zonder resultaat. Ik werd ongeduldig, vooral omdat ik zelf niets kon doen, maar hij leek het steeds interessanter te gaan vinden. Ik zette koffie, ijsbeerde door de kamer en ging de straat op om sigaretten te kopen. Toen ik terugkwam was Nico nog steeds bezig. Elke keer als het hem niet lukte, mompelde hij in zichzelf. Zijn 'ja, ja', 'oké' en 'hmmm' klonken niet teleurgesteld, maar eerder alsof hij opnieuw iets had ontdekt waarvoor hij wel waardering kon opbrengen.

Ten slotte hield hij ermee op.

'Het gaat natuurlijk lukken, Jager, maar dit heeft hij beter gedaan dan het password op zijn eigen computer. Ik heb meer tijd nodig. Ik denk dat het beter is als ik je opbel als het is gelukt, want ik word eerlijk gezegd nerveus van je.'

Hij had gelijk, maar voor ik ging wilde ik nog wel zijn mening over iets heel belangrijks en ik vroeg: 'Is het mogelijk dat als hij naar zijn eigen website surft we kunnen nagaan waarvandaan hij dat doet?'

Nico knikte goedkeurend: 'Prima denkwerk, Jager. Ja, dat kan, en het is zelfs vrij eenvoudig. Iedereen die op het internet actief is heeft namelijk een IP-adres. IP staat voor Internet Protocol. Zo'n adres bestaat uit vier getallen, bijvoorbeeld 167.52.156.3. Aan de hand van dat adres kun je nagaan uit welk land iemand komt, welke provider wordt gebruikt en nog een aantal andere meer technische zaken. Verder kan iemand een vast of variabel IP-adres hebben. Als je bijvoorbeeld via America Online inbelt, krijg je elke keer een ander adres toegewezen, want America Online heeft meer klanten dan adressen. Belt jouw vriend vanuit een internetcafé, dan kunnen we vrij eenvoudig bepalen waar hij zit, maar niet vanaf welke computer dat gebeurt.'

Dat laatste leek me geen probleem, dat kon ik zelf wel uitvinden. Als ik eerst maar wist waar hij achter een computer ging zitten.

Toen ik tevreden knikte en zei: 'Klinkt geweldig, Nico,' had hij een voorstel: 'Wat ik kan doen is dat ik een programmaatje maak en dat op zijn site zet als ik binnen ben. Als hij dan zelf binnenkomt, ga ik hem als het ware schaduwen. Ik kan dat zodanig doen dat ik te weten kom wanneer hij inbelt, wat hij precies op zijn eigen site doet en hoe lang hij daarmee bezig is, en wat jou het meest interesseert: waarvandaan hij belt.'

Nu was het een kwestie van wachten, maar dat kon ik met een gerust gevoel doen. Ik was gewend om zo nu en dan mensen te moeten schaduwen, zeg maar in de 'echte wereld'. Van Nico begreep ik nu dat dit ook kon in de 'virtuele wereld'.

Ik besteedde mijn tijd aan het herlezen van het onderzoek van professor Braeckman en de rapporten van de onderzoekscommissie van de VN, en zocht op internet naar andere informatie. Tot mijn verbazing bleek er heel veel te zijn geschreven over Congo. Vooral een breed scala aan ontwikkelingsorganisaties, zogenaamde NGO's, Niet-Gouvernementele Organisaties, stelden tal van malafide praktijken van bedrijven aan de kaak en riepen overheden op maatregelen te nemen tegen de handel in metalen, hout, ivoor, goud en wat ze omschreven als 'bloeddiamanten'.

Mijn aandacht werd getrokken door een artikel, ook geschreven door een NGO, dat ging over de noodzaak om passende wetgeving te introduceren om gestolen gelden aan een land terug te kunnen geven. Blijkbaar was dat niet goed geregeld, want in een artikel met de dwingende titel 'Laat óns investeren!', stond:

Er is momenteel geen veelomvattend internationaal instrument dat ingezet kan worden voor het proces van restitutie van in beslag genomen opbrengsten en bezittingen. Hoewel restitutie hiervan aan het land van oorsprong de meest logische keuze lijkt, is deze optie niet altijd mogelijk of wenselijk, in het bijzonder wanneer het land van herkomst leidt onder wijdverspreide corruptie of slecht bestuur, of als de kans bestaat van verdere verduistering van de geretourneerde bezittingen. Andere maatregelen moeten dan worden overwogen, zoals teruggave via een derde partij (bijvoorbeeld een internationale ontwikkelingsbank) of door het aanwenden van de fondsen voor ontwikkelingsprogramma's of het aflossen van de buitenlandse schuld.

Het betoog van die NGO was dat het geld dat door Mobutu was gestolen en vervolgens geïnvesteerd in onroerend goed in België, Frankrijk en allerlei andere landen, en op geheime rekeningen stond van voornamelijk Zwitserse banken, terug moest naar Congo, om daar nu eindelijk eens de bevolking mee te helpen. En dat ze dat geld prima aan die NGO konden geven, want díe wist wel hoe het verantwoord kon worden geïnvesteerd. Blijkbaar was het nog moeilijker om al dat gestolen geld terug te krijgen dan om het te traceren; een wrange constatering.

Vooral Zwitserse bankiers kregen een veeg uit de pan en ook over de Belgische overheid, die duidelijk niet te veel aan haar vroegere nauwe banden met Mobutu wilde worden herinnerd, was men zeer kritisch. Ze keken allemaal liever de andere kant op. Zo stonden landhuizen en kastelen leeg, wachtend op een eigenaar die allang was overleden, en stonden op allerlei rekeningen grote bedragen van wat men omschreef als 'dead money': geld dat niet werd gebruikt om in Congo te investeren, maar door bankiers onder hun hoede werd gehouden.

Ik twijfelde er niet aan dat al die bankiers, makelaars, notarissen, advocaten en andere mensen die zaken hadden gedaan met Mobutu, zich beschaafder hadden gevoeld dan die Afrikaanse dictator. Waarschijnlijk hadden ze achter zijn rug en onder elkaar om hem gelachen en denigrerende opmerkingen gemaakt, over 'die omhooggevallen wilde'. Het had ze er niet van weerhouden zijn geld aan te nemen en hem diensten te verlenen. Ook in die wereld gold dat alleen voor een enkeling principes en ethiek niet iets oppervlakkigs waren, maar echt tot op het bot gingen. De meerderheid kletste maar wat en keek vooral niet te grondig naar zichzelf. Alles was prima zolang het maar geen pijn deed, vooral niet in de portemonnee.

Toen Nico belde met een kort 'Kom maar', was ik onmiddellijk in de auto gesprongen. Niet veel later zat ik vol verwachting naast hem.

Achter dat weinig uitnodigende grijze scherm, met de woorden 'Congo Central Station', bevond zich de afbeelding, geen foto, maar een zeer realistische computeranimatie van een gebouw dat sterk leek op het gebouw in Tervuren waar professor Braeckman zijn kantoor had. Boven de massieve toegangsdeur stond nu echter niet KOLONIËNPALEIS, maar CONGO CENTRAL STATION.

Nico klikte op die deur en we gingen een gebouw binnen dat bestond uit twee gedeelten: een bibliotheek en een werkkamer. Klikkend op het bibliotheekgedeelte kwamen we in een ruimte terecht met verschillende zalen. De eerste zalen hadden meer algemene namen: 'Geschiedenis en Cultuur', 'Natuurlijke Rijkdommen', 'Algemeen' en 'Diversen', om vervolgens in de laatste drie zalen terecht te komen: 'Koning Leopold II', 'Mobutu' en 'Joseph Conrad: *Heart of Darkness*'.

In die verschillende ruimtes van de bibliotheek had Ernst Jimmink een grote hoeveelheid literatuur verzameld en geordend met betrekking tot Congo. In zekere zin was het te vergelijken met de 'fysieke' bibliotheek die professor Braeckman in de loop van vele jaren had opgebouwd in zijn werkkamer in Brussel. Titels van boeken, met een korte beschrijving van de inhoud, honderden artikelen die direct gedownload konden worden, verwijzingen naar andere websites met interessante informatie. Er was een schat aan informatie aanwezig en om het zoeken te vergemakkelijken, had hij zelfs een zoekmachine geïnstalleerd, waarmee op trefwoorden kon worden gezocht. Ernst had duidelijk moeite gedaan om zijn site zo gebruikersvriendelijk mogelijk te maken. Ik vroeg me af voor wie.

Voor de werkkamer had Nico nog een code moeten kraken, de 'sleutel' die toegang gaf tot die ruimte. In die kamer stond in het midden een bureau en tegen de wanden twee archiefkasten. Op de kleinste stond: 'Adressen en Contactpersonen', op de grotere: 'Kalisz International Trading Company'.

Omdat ik vermoedde wat zich daarin bevond, vroeg ik Nico die laatste aan te klikken. De kast had zeven laden, die elk apart konden worden aangeklikt. Zes daarvan hadden de naam van een metaal. Toen ik de lade met de naam 'Coltan' aanklikte, verscheen er een file met zo te zien een enorme hoeveelheid cijfers.

'Wat denk je Nico; zit hier de informatie in die hij downloadt in zijn Excel-rekenprogramma?'

Hij knikte: 'Ja, dat klopt. Ik heb even gekeken, het zijn grote bestanden met allerlei cijfermateriaal.'

Ik besloot ze later op mijn gemak te bekijken.

De zevende lade droeg de naam 'Contracten'. Nadat Nico die had aangeklikt, verscheen er een werkblad met een groot aantal Word-files. Toen we er één aanklikten verscheen er een gescand document. Nadat we er een aantal hadden bekeken, werd duidelijk dat het steeds om hetzelfde contract ging, voor de verkoop van bepaalde metalen. Het enige dat veranderde was het soort metaal, de hoeveelheid, de technische omschrijving van de kwaliteit, de prijs en de datum. In alle gevallen was er getekend door de verkoper: Gécamines, en de koper: Kalisz International Trading Company.

Het was voorlopig meer dan voldoende. Ik nodigde Nico uit om wat te gaan eten en drinken; we hadden iets te vieren. Ik nam hem mee naar een goed restaurant. Met zijn sjofele kleding viel hij uit de toon, maar dat leek hem zelf volledig te ontgaan. Dat was het soort informatie dat hij simpelweg niet registreerde en mij kon het niets schelen.

Toen we na het eten onderuitgezakt zaten, met koffie en likeur, bespraken we hoe we Ernst zouden gaan traceren. Ik zou zelf aan de slag gaan met het materiaal dat we op de website hadden aangetroffen, maar Nico was onmisbaar om de link met de mensen die ik zocht tot stand te brengen. Zoals altijd had hij ook nu geen enkele twijfel. Hij legde met allerlei technische begrippen uit hoe het werkte. Dat interesseerde hem veel meer dan de uitkomst; die stond voor hem al vast. Zijn zelfverzekerdheid gaf mij een gerust gevoel: als Ernst Jimmink zou inbellen, zou Nico hem weten te traceren.

We zaten tot heel laat geanimeerd te praten. Nico was bijzonder prettig gezelschap en terwijl ik naar hem keek en luisterde, realiseerde ik me dat ik steeds meer op hem gesteld was geraakt. Hij had een brede interesse, werd door van alles en nog wat geboeid en was altijd bereid om te leren en te ontdekken, zonder vooraf al een oordeel te hebben. Misschien wel daardoor was hij zich weinig bewust van zichzelf, een uitstekende eigenschap in een samenleving die God geleidelijk aan had vervangen door het eigen ego.

Zijn gezelschap, gecombineerd met goed eten en drinken, en de tevredenheid over de ontdekking die we hadden gedaan, leidde ertoe dat alles voor even op de juiste plaats viel. Zo'n moment moest een bepaalde betekenis hebben, tot een bepaald inzicht leiden, ook al wist ik niet welk.

XV

De volgende dagen besteedde ik aan het bestuderen van de files die Ernst Jimmink had opgeslagen. Ik moest grip zien te krijgen op een indrukwekkende hoeveelheid cijfers met betrekking tot de handel van Kalisz, die zich dus over zes verschillende metalen uitstrekte. Tegelijkertijd moest ik iets proberen te begrijpen van hoe die handel in zijn werk ging, iets waarmee Ernst beroepshalve natuurlijk al vertrouwd was. Hoeveelheden, prijzen voor contante en termijnhandel, het gebruik van opties en futures, prijzen per eenheid, totaalbedragen, het gebruik van verschillende valuta, de data waarop transacties hadden plaatsgevonden, de namen van de kopende en de verkopende bedrijven. En dat alles gedurende zo'n zes jaar, met op vrijwel alle dagen vele tientallen transacties.

Gelukkig had Ernst al een verdeling gemaakt per metaal en ik besloot me vooralsnog op één daarvan te concentreren. Al snel werd duidelijk dat Kalisz zeker niet alleen van Gécamines kocht, hoewel dat wel hun belangrijkste leverancier was. Om het onderzoek nog verder af te bakenen, wilde ik me beperken tot die transacties. Ik maakte lange dagen en werkte uur na uur gedisciplineerd door.

Het was al ver in de herfst en als ik begon te werken was het buiten nog donker. Staande voor mijn raam zag ik mensen dik gekleed en weggedoken in hun kraag gehaast over straat lopen.

Als de cijfers me te veel duizelden en ik het gevoel had door de bomen het bos niet meer te zien, dwong ik mezelf om te pauzeren. Ik ging wandelen, ergens koffie drinken, boodschappen doen.

Ik liep zelfs een keer het Stedelijk Museum binnen, voor een tijdelijke tentoonstelling van het werk van Edward Hopper. De verstilling die uit al zijn werk sprak, mensen, alleen of samen, een hotelkamer, benzinepomp of een landschap met een enkel huis en telegraafpalen, sloot precies aan bij hoe ik me die dagen voelde. Ook in mij was er een bijna perfecte stilte, nu ik zonder acht te slaan op de tijd stap voor stap bezig was om uit te vinden wat er in die cijfers verborgen zat. Een volmaakte stilte, zoals de stilte voor een storm. Op zulke momenten waarop ik even mijn werk onderbrak, probeerde ik me volledig te concentreren op wat ik aan het doen was en niet te denken aan het cijfermateriaal dat op me lag te wachten.

In die enorme hoeveelheid cijfers was vrij eenvoudig een koppeling te maken tussen wat er was gekocht en vervolgens weer werd verkocht. Soms ging het om één koper, soms om meerdere partijen die elk een deel afnamen van wat Kalisz van een leverancier had aangekocht. De aangekochte en verkochte hoeveelheden kwamen steeds met elkaar overeen en er werden dus geen openstaande posities ingenomen om zo te kunnen speculeren op prijsbewegingen. Ook Leimann had gezegd dat het beleid erop was gericht risico's af te dekken en niet om te speculeren. Wat werd gekocht, werd vrijwel direct weer verkocht, contant of op termijn. De frequentie waarmee dat gebeurde was volkomen willekeurig, de hoeveelheden waren echter bijna altijd groot.

Het was duidelijk dat het Congolese Gécamines in vergelijking met andere bedrijven waarvan Kalisz metalen kocht, handelde in grotere hoeveelheden. Die gegevens kwamen overeen met de gescande kopieën van de contracten tussen

Gécamines en Kalisz, dus ook dat leverde geen verrassingen op. Alles leek normaal, voor zover ik dat kon beoordelen, en toch had Ernst in deze gegevens blijkbaar iets gevonden dat de moeite waard was om goed te verstoppen.

Pas na lang zoeken kwam ik tot de ontdekking dat er nog iets gebeurde dat exact de frequentie volgde van de zaken tussen Gécamines en Kalisz. Omdat ik ervoor had gekozen me eerst op de transacties van Gécamines te concentreren, duurde het lang voordat ik dat verband zag.

Binnen een periode van twee weken na de eerste grotere transactie, waarbij Kalisz kocht van Gécamines en vervolgens die partij aan een of meerdere afnemers verkocht, werd er nog een keer gehandeld, in kleinere hoeveelheden, steeds zo'n tien tot twintig procent van de oorspronkelijke omvang, in partijen die volgens de omschrijving exact dezelfde specificaties hadden.

Die transacties zaten als het ware verborgen tussen allerlei andere zaken. Aan de verkopende kant ging het dan niet om Gécamines, maar om een vijftal bedrijven die voortdurend van plaats wisselden. Aan de kopende kant waren het in veel gevallen precies dezelfde klanten die in de weken daarvoor ook al de grotere volumes hadden afgenomen. Die vijf verkopende bedrijven doken alleen op in dit verband en verder nergens.

Toen ik doorhad wat dit ongetwijfeld betekende, stond ik op en begon te ijsberen door mijn kamer. 'Bingo, bingo, bingo,' zei ik hardop tegen mezelf.

Ik nam nu geen rust meer maar bleef uur na uur het spoor volgen dat ik had ontdekt en dat nu als een rode draad door het handelsgedrag van Kalisz liep. Ik begon alle transacties van die vijf zogenaamde leveranciers apart te noteren. Toen ik dat voor die periode van zes jaar had afgerond, de hoeveelheden had opgeteld en ten slotte had omgezet in bedragen, kon ik maar één ding concluderen: Ernst Jimmink was een enorme fraude op het spoor gekomen. En dit was nog maar één metaal.

Ik was er zeker van dat die vijf namen niet meer waren dan *shell companies*: bedrijven die alleen op papier bestonden en moesten verhullen dat Kalisz keer op keer meer verkocht dan volgens de keurig ondertekende en door Ernst gescande contracten door Gécamines was geleverd. Ze waren in het leven geroepen met slechts één doel: het wegsluizen van enorme bedragen. Wat zogenaamd door deze bedrijven werd geleverd, kwam wel degelijk van dezelfde bron: Gécamines.

Toen ik op de website in de andere, kleinere archiefkast 'Adressen en Contactpersonen' op zoek ging naar die vijf namen bleken ze één ding gemeen te hebben: ze waren allemaal geregistreerd op de Kaaimaneilanden en verder was er niets over ze bekend.

Ik wist inmiddels dat Mobutu vaak, in alle openheid en zonder enige schaamte, een greep gedaan had in de kas van Gécamines. Ernst Jimmink was een andere vorm van fraude op het spoor gekomen. Opnieuw ging het om enorme bedragen, maar deze keer had men wel moeite gedaan om de sporen te verbergen.

Ik vroeg me af wat Ernst met die informatie had willen doen. Hopelijk zou ik snel in de gelegenheid zijn om hem dat zelf te vragen.

Intussen had ook Nico niet stilgezeten. De volgende ochtend werd ik gebeld en zijn stem klonk triomfantelijk toen hij zei: 'Je moet op reis, Jager. Je vriend heeft ingebeld vanuit een EasyInternetcafé in New York. Ik ben zelfs al een kijkje wezen nemen op hun website. Het adres is 16 West 48th Street en het zit in een of andere tent met de naam Chock Café. Zo te zien kun je er goede koffie en donuts krijgen en er lekker zitten.'

Toen ik hem vroeg wat hij met dat laatste bedoelde, legde hij uit dat steeds meer EasyInternetcafés niet meer op eigen locaties zaten, maar dat er afspraken werden gemaakt met zogenaamde 'hosts'. Dat waren vooral hotels, restaurants en cafés, die een deel van hun ruimte ter beschikking stelden aan Easy-Internet. Zo kon een klant daar dus iets gaan drinken en tegelijkertijd kijken of er nog e-mail was of wat gaan surfen op internet.

Verder wist Nico te melden dat Ernst Jimmink urenlang aan het werk was geweest, vanaf ongeveer negen uur 's ochtends plaatselijke tijd, voornamelijk met het cijfermateriaal. Aan het einde had hij nog wat gewerkt aan zijn bibliotheek en ten slotte had hij zijn eigen website weer verlaten.

Er restte mij dus maar één ding: koffers pakken en met de eerste de beste vlucht naar New York. Een vooruitzicht waar ik gemengde gevoelens bij had, want het was voor mij geen stad zonder verleden. Ik was er alleen geweest, als jongen van achttien, met weinig geld op zak op reis door Amerika. Met moeite had ik in New York een goedkope plek kunnen vinden om te overnachten. Maar ik was er ook op oudere leeftijd meerdere keren geweest, samen met Eileen en met meer dan voldoende geld voor een goed hotel, restaurants, musea en het kopen van mooie boeken.

Dat alles lag ver achter me, onbereikbaar ver na de dood van Eileen. Dat die jongen van achttien inmiddels vierenveertig was geworden was niet zo bijzonder, het was hooguit opmerkelijk dat het zo snel leek te zijn gegaan. Maar het feit dat zij er niet meer was, vervulde mij met een harde en onverzoenlijke bitterheid. Sinds haar dood meed ik de plaatsen die we ooit samen hadden bezocht, maar nu had ik geen keus.

XVI

In Nederland moest de winter nog beginnen; toen ik vertrok was het grijs en miezerig, maar in New York kwam ik in een heuse sneeuwstorm terecht. De hele oostkust van de Verenigde Staten werd al dagenlang geteisterd door zware *blizzards*, die dat jaar onverwachts vroeg waren gekomen. Het was ijskoud en er woei een gure wind die dwars door mijn kleren sneed, het voelde alsof ik naakt over straat liep.

Het sneeuwde bijna onophoudelijk en mede door de wind, die de sneeuw die was gevallen weer oppakte en terug de lucht in slingerde, lukte het de sneeuwschuivers nauwelijks om de straten schoon te vegen. De auto's, voornamelijk taxi's, reden stapvoets, met ruitenwissers die driftig probeerden de sneeuw van zich af te houden. De mensen die zich nog op straat waagden, waren gehuld in dikke jassen, snowboots en berenmutsen en liepen voorovergebogen, dicht tegen de gevels aan, om zo nog enige beschutting te vinden.

Het lawaai van een stad die ik me als zeer hectisch en druk herinnerde, was nu zo goed als verdwenen, geabsorbeerd door de sneeuw en overstemd door het gieren en fluiten van de wind die zich een weg zocht tussen de hoge gebouwen. Doordat de straten kruislings op elkaar stonden, kon je in de ene straat in de luwte lopen, om vervolgens op een kruispunt te worden overvallen door de storm die op volle kracht door de andere straat gierde. Sommige mensen deinsden letterlijk achteruit, alsof er een trein in volle vaart voorbij kwam denderen. In dit New York was de natuur voorlopig de baas over de mens, die zo veel mogelijk een veilig heenkomen had gezocht.

Chock Café was een diepe, langwerpige ruimte. Een wand werd in beslag genomen door een aantal vitrines, gevuld met een breed assortiment van donuts, sandwiches en allerlei vers geperste vruchtensappen, en een smalle hoge toonbank met een aantal op de houten vloer vastgeschroefde barkrukken. Langs de andere wand waren zitjes gemaakt, bestaande uit een tafel met aan weerszijden leren banken. De rugleuningen van die banken werden gevormd door de beklede tussenwanden waarmee de zitjes van elkaar waren gescheiden. Als je op de bank gezeten doorschoof tot aan de muur kon je in alle beslotenheid en privacy genieten van je koffie.

Alles bij Chock Café draaide om dat product en omdat er voortdurend bonen werden gemalen, hing er een sterk aroma. Het aanbod was enorm: 'single origin' koffie uit landen als Guatemala, Colombia, Tanzania, Ethiopië of Rwanda, allerlei melanges, koffie die organisch of 'bird friendly' was verbouwd of door kleine boeren die een betere prijs kregen. De dagen die ik er doorbracht zou ik ze stuk voor stuk proberen.

Volgens het naamkaartje op haar blouse werd ik bediend door Dolores S. Ik schatte haar begin twintig. Ze zag er niet onaantrekkelijk uit en vooral haar donkere, glanzende haar was prachtig. Toen ik haar vroeg waar de S. voor stond, antwoordde ze met 'Siguencia'. Ze kwam uit Ecuador, sprak goed Engels en was een typisch voorbeeld van de Amerikaanse klantvriendelijkheid.

'Heeft u misschien ook koffie uit Congo?' vroeg ik haar.

In Nederland zou ik meewarig zijn aangekeken, maar hier

werd die vraag serieus genomen. Ze excuseerde zich en vroeg vervolgens van wat soort koffie ik hield.

Toen we hadden geconcludeerd dat ik sterke koffie dronk, hier uren zou zitten lezen en het zeker niet bij één kopje koffie zou blijven, adviseerde ze me als eerste een heel sterke koffie uit Rwanda. Daarna kon ik dan overgaan op koffie die zachter van smaak was. Bij elke koffie werd ook een glas water geserveerd, want dat maakte, in haar woorden, de smaakbeleving nog intenser. Toen ik haar later complimenteerde met haar adviezen deed haar dat zichtbaar genoegen.

In afwachting van Ernst, en hopelijk Ramona, had ik een plaats gezocht in een van de afgeschermde zitjes. Op die manier zat ik niet in het zicht van de mensen die binnenkwamen en doorliepen naar de afdeling van EasyInternet, die zich achter in het restaurant bevond. Ik telde een tiental beeldschermen om aan te werken. Toen ik om acht uur 's ochtends binnen was gekomen, waren er slechts enkele van bezet. Ernst Jimmink was er in ieder geval nog niet.

Ik had er rekening mee gehouden dat ik lang zou moeten wachten en had voldoende te lezen meegenomen. Ik las de *New York Times*, bladerde in wat tijdschriften en genoot vooral van mijn koffie. Ondanks het slechte weer waren er toch nog vrij veel klanten. Voor mij prettig, want het idee de enige klant te zijn op het moment dat Ernst binnenkwam trok me niet erg. Hoe drukker het was, hoe minder ik zou opvallen. Ik merkte dat de meeste bezoekers elkaar kenden, blijkbaar fungeerde Chock Café ook als een soort buurtcafé.

Twee dagen had ik zo doorgebracht, om 's avonds onverrichter zake naar mijn hotel terug te keren. Tegen die tijd was ik blij dat ik de benen kon strekken en de koude lucht kon inademen. Ik genoot van het geknisper van de sneeuw onder mijn schoenen en van de kou, die de huid op mijn gezicht strak trok.

Op de derde ochtend van mijn verblijf in New York was de storm gaan liggen. De eerste dagen was die zo intens geweest dat ik als ik vanuit mijn hotelkamer naar buiten keek, alleen maar sneeuwvlokken zag, die in een wilde, spastische dans naar alle kanten werden geslingerd en getrokken. Ik sliep op de vierentwintigste verdieping maar had nog niets kunnen zien van de straten beneden of de hemel boven mij.

Ik werd vroeg wakker en toen ik zag dat het weer was opgeklaard, besloot ik snel te douchen en een wandeling te maken. Ik dronk een aantal glazen water en ging zonder te ontbijten de straat op. Wat ik sinds mijn aankomst in gedachten had, kon niet langer wachten. Ik liep Central Park in, dat bedolven was onder de sneeuw. Er was zoveel gevallen dat de vormen van de struiken, bruggetjes, hekjes en banken niet meer waren dan zachte glooiingen in dat dikke pak sneeuw. Alleen de bomen waren nog steeds goed te onderscheiden.

Toch was het eenvoudig het meertje te vinden waarnaar ik zocht. Ik stond op het grasveld dat het omzoomde en waar ik zoveel jaren geleden had gelegen, op een prachtige zomeravond, samen met Eileen. We lagen op onze rug en keken naar een strakblauwe hemel waarin zo nu en dan, heel langzaam, een wolkje voorbij dreef. Nu keek ik omhoog en zag hetzelfde. Het blauw, het wit van de wolken dat er scherp tegen afstak. Het was precies als toen en toch was alles veranderd.

Terwijl ik omhoogkeek, huilde ik in stilte, schokschouderend. Toen er niets meer kwam, veegde ik met de rug van mijn hand bruusk de laatste tranen uit mijn ogen.

Ernst Jimmink kwam om ongeveer tien uur binnen, alleen. Op het moment dat ik hem herkende, hield ik heel even mijn adem in. Zijn gezicht was precies zoals op de foto's die ik had gezien. Hij was nonchalant maar netjes gekleed in een spijkerbroek en een zwarte leren jas die tot op zijn heupen viel. Toen hij zijn jas uitdeed en over zijn arm sloeg, zag ik dat hij daaronder een donkergrijze trui met V-hals en een wit T-shirt droeg. Nonchalant en onopvallend, op het saaie af, nogal een verschil met de uitgesproken outfit van zijn vriend Peter Fennema. Het enige opvallende was eigenlijk de attachékoffer die hij in zijn hand hield. Hij liep naar de bar en bestelde koffie.

Terwijl hij op zijn bestelling stond te wachten, met zijn rug naar mij toe, kon ik hem bijna aanraken. Er moet iets van spanning tussen ons voelbaar zijn geweest, want langzaam draaide hij zich naar mij om. Toen ik dat zag aankomen, wendde ik mijn blik af. Terwijl ik voorovergebogen in mijn krant tuurde, voelde ik hoe zijn blik even op mij rustte, toen pakte hij zijn koffie en liep naar een van de computers. Daar maakte hij zijn attachékoffer open en legde een dikke stapel papieren op tafel, klaar om aan het werk te gaan.

Ik had Ernst Jimmink gevonden, maar ik zou hem nog niet aanspreken, niet zolang er nog een dode neger tussen ons in stond.

Hij werkte heel geconcentreerd en keek nauwelijks om zich heen. Hij stond alleen zo nu en dan op om koffie te halen. Nadat hij zo'n drie uur had gewerkt, pakte hij al zijn papieren weer bij elkaar, betaalde en trok de deur achter zich dicht. Dat was het moment waarop ik had gewacht, en ook ik rekende snel af. Dolores keek me aan met een verbaasde blik, ik vroeg me af of ze nu begreep waarop ik hier al die tijd had zitten wachten.

Buiten hield ik voldoende afstand. Omdat het inmiddels weer druk was geworden op straat kon ik hem onopvallend volgen. Hij keek geen enkele keer achterom en wandelde rustig. We hadden ongeveer een kwartier gelopen toen hij de straat overstak en recht op twee hoge glazen deuren af liep van een hotel met de naam The Barracks.

Het leek me een keurig hotel, opgetrokken in de stijl van wat vroeger die voor New York zo typische simpele woonbarakken waren voor nieuwe immigranten. Als men het iets beter had gekregen werd er verhuisd, om plaats te maken voor de volgende lichting die de uitgeleefde woningen betrok. De gevel van grove bakstenen was keurig glanzend roodbruin geschilderd. Om het geheel extra pittoresk te maken, liep zigzaggend over de voorgevel de zo kenmerkende stalen brandtrap, die de piepkleine balkonnetjes met ijzeren roosters met elkaar verbond. Er stond zelfs geen bloempot op, ze werden duidelijk niet meer gebruikt.

Voordat Ernst Jimmink die glazen deuren zelf open kon doen, werd dat voor hem gedaan door een portier. In een stad waar alle goedkope arbeid leek te worden verricht door negers en latino's viel het me op dat het een blanke jongen was, die zelfs even onderdanig knikte. Hij was gekleed in wat de standaardoutfit van alle portiers in de wereld moet zijn: een broek keurig in de vouw en met aan de zijkant een gele streep, een jas met lange panden en zelfs inclusief een hoge hoed, en alles uitgevoerd in het stemmige roodbruin van de voorgevel van het hotel. Hij deed me denken aan van die aangeklede aapjes die met een ketting vastzitten aan een draaiorgel.

Hier aangekomen waren er meerdere wegen die me naar Rome konden leiden, ik had ze voor het uitkiezen. In het land waar voor geld alles te koop is, besloot ik rechtstreeks op de portier af te stappen. Toen ik hem vroeg wie de jongen was die zojuist naar binnen was gegaan, keek hij me even verbaasd en argwanend aan, maar ik stelde hem op zijn gemak en zei dat ik alleen maar diens naam wilde weten, omdat ik vermoedde dat hij op stap was met mijn dochter, Ramona.

Ik zag aan zijn reactie dat het klopte en het feit dat ik haar naam wist leek hem gerust te stellen. Hij keek even achter zich, om te zien of er binnen niemand in ons gesprek geïnteresseerd was. Ik drukte hem een biljet van vijftig dollar in de hand en herhaalde mijn vraag. Hij had niet lang nodig om een beslissing te nemen en antwoordde dat ze hier inderdaad samen waren en dat zijn naam Ernst was. Zijn achternaam kende hij niet.

Dat was voor mij niet voldoende. Ik vroeg hem of ze in het hotel kopieën maakten van het paspoort van bezoekers, ik wist dat sommige hotels dat deden na de aanslagen van 11 september. Dat bleek het geval en ik bood hem vijftig dollar voor een kopie van het paspoort van Ernst. Honderd dollar wilde hij, want dit was meer werk, en ik moest op de hoek van de straat wachten tot hij mij een teken zou geven.

Nog geen vijf minuten later stapte hij alweer naar buiten en wenkte me. Ik betaalde hem en kreeg een keurig opgevouwen kopie. Ernst had een Belgisch paspoort en heette Van Oostende.

Ik had geen enkele reden om langer in New York te blijven. Bij het eerste reisbureau dat ik tegenkwam liet ik mijn retourticket omboeken, om nog diezelfde dag terug te vliegen. De vlucht naar Amsterdam was al volgeboekt, dus moest ik via Londen. Dat was geen enkel bezwaar; ik wilde zo snel mogelijk weg.

Ik wist nu waar Ernst en Ramona waren en zelfs als ze niet in New York zouden blijven, zou ik ze met de hulp van Nico terug kunnen vinden. Maar waarom zouden ze verhuizen? Voorlopig hadden ze het prima geregeld en hoefden ze zich nergens zorgen over te maken. Ik had nu nog niets met ze te bepraten en het laatste dat ik wilde, was ze alarmeren en op de vlucht jagen.

In het vliegtuig dronk ik bij het eten rode wijn, gevolgd door een paar glazen whisky: meer alcohol dan ik gewend was. Ik keek met een half oog naar een film op een te klein scherm, en viel uiteindelijk in slaap.

XVII

Toen we de volgende ochtend in Amsterdam landden, was het nog steeds grijs en kil. Ik was van plan om eerst thuis te gaan douchen en dan aan de slag te gaan. Ik wist wie ik wilde spreken, liefst zo snel mogelijk. Van dat alles kwam echter weinig terecht, want toen ik op het punt stond om mijn voordeur te openen werd ik aangesproken: 'Goedemorgen, Jager.'

Ik draaide me om en zag dat aan de overkant van de straat een auto geparkeerd stond. Zonder de moeite te nemen uit te stappen, had de bestuurder daarvan zijn raam opengedraaid en me geroepen.

Met één elleboog leunend op het portier en een sigaret in de hand, zat Jaap Tielemans als een morsige, aan lagerwal geraakte oudere James Dean, achterover geleund in zijn stoel. Vroeger was hij ongetwijfeld een aantrekkelijke jongen geweest, een echte ladykiller, maar die glans had inmiddels plaatsgemaakt voor slijtageplekken. Slecht en onregelmatig eten, te veel roken en drinken, te weinig slaap, te weinig bewegen; de jarenlange verwaarlozing van zijn eigen lichaam had zijn tol geëist. Maar hij accepteerde dat met een nonchalance die gebaseerd moest zijn op het idee dat hij de Keith Richards van de Afdeling Moordzaken van het Rechercheteam Regio Den Haag was.

Ik schatte dat hij van mijn leeftijd moest zijn, begin veertig.

Die slijtage had zijn gezicht op een andere manier opnieuw aantrekkelijk gemaakt. Rimpels en groeven in een ruwe huid, een slecht geschoren baard, waardoor er over zijn wangen en kin een donkere schaduw lag, sluik donker haar, dat bij de slapen grijs begon te worden en dat in zijn nek tot over de boord van zijn colbert hing. Hij haalde voortdurend, als een zenuwtrek, zijn handen door het haar om het naar de zijkant te strijken.

Midden in dat verweerde en licht verwilderde gezicht straalden zijn donkere ogen, en zijn mond had een tevreden uitdrukking. Jaap Tielemans vond dat hij het goed had getroffen en beklaagde zich zelden of nooit. Als hij dat al deed, had het meestal de vorm van zelfspot. Het was duidelijk dat hij in de 'drivers seat' zat en de verantwoordelijkheid nam voor zijn eigen leven. Als het al een keer tegenzat, dan was niemand buiten hemzelf schuldig aan wat er met zijn leven gebeurde.

'Ik ben blij dat je er bent, Jager. Ik zit hier al twee dagen. Ik kan geen moussaka meer zien.' Zijn auto stond pal voor het Griekse afhaalrestaurant geparkeerd.

'Dan heb je nog geluk dat het zo lekker is, of niet?'

'Ja, maar de hele auto ruikt naar anijs. Had je De Vilder moeten horen toen hij een middagje naast me zat.'

De Vilder, twee dagen wachten; dat klonk allemaal niet goed.

'Wat kan ik voor jullie doen?' vroeg ik.

'Dat wil De Vilder je graag zelf vertellen, maar het is wel dringend.'

'Heb ik nog tijd om snel te douchen?'

Dat ging ik sowieso doen, of hij dat nou wel of niet goedvond. Ik was niet van plan zonder een goede douche te beginnen aan wat waarschijnlijk een lange dag zou worden.

Jaap dacht heel even na, om vervolgens met een glimlach te antwoorden: 'Ja, oké, als je me een kop koffie aanbiedt.'

'Prima, doe ik. Loop maar mee.'

Toen hij uit de auto stapte, zag ik dat hij felrood gekleurde, versleten sportschoenen aanhad, duidelijk bedoeld als statement. Welke wist ik niet, maar een reactie van mijn kant was wel het minste dat ik kon doen.

'Mooie schoenen.'

'Dank je, Jager. Ze zijn eigenlijk af, maar er zijn zoveel mensen die er nog van genieten dat ik het niet over mijn hart kan verkrijgen ze weg te doen.'

Terwijl we in het nauwe trapportaal naar driehoog klommen, vroeg ik welk lot hem ooit aan Anton de Vilder had gekoppeld.

'Het noodlot. Iets dat groter is dan mezelf,' antwoordde hij spottend.

Ik wist dat De Vilder een bloedhekel had aan Jaap. Ze waren in alles anders, maar vooral het feit dat Jaap een betere rechercheur was dan De Vilder en er tegelijkertijd voor uitkwam dat hij geen ambities had om verder in de hiërarchie omhoog te klimmen, waren De Vilder een doorn in het oog. Dat De Vilder een afkeer van hem had, leek Jaap niet veel uit te maken, hij had genoeg aan zichzelf en was niet van plan zich aan wie dan ook te ergeren.

De combinatie van die twee leek me geen gelukkig team. Veel keuze zou De Vilder niet hebben, want het leek me niet dat andere collegae stonden te trappelen om met hem samen te werken.

Toen ik had gedoucht en me in schone kleren had gestoken, ging ik bij Jaap aan de keukentafel zitten en nam zelf ook een kop koffie.

'We willen natuurlijk graag weten waar je geweest bent, Jager. Reken er maar op dat De Vilder je dat straks ook duidelijk zal maken.'

'Dat is een lang verhaal,' zei ik, om er vervolgens het zwijgen toe te doen.

Hij keek me even aan, maar ging er niet verder op in.

'Je woont hier mooi,' veranderde hij van onderwerp, 'woon je al lang in De Pijp?'

Al meer dan vijfentwintig jaar. Ik had de wijk langzaam zien opbloeien. Toen ik hier als jonge student terecht was gekomen, was er zelfs nog een badhuis, dat over klandizie niet te klagen had. De meeste mensen hadden het niet breed en op de etages waren geen douches. Men waste zich boven de wasbak van het kleine granieten aanrecht. Ik had zo een hoop mensen leren kennen, terwijl we met handdoek en zeep zaten te wachten op onze beurt om te douchen. Inmiddels was het een van de meest geliefde woonwijken. Dat was vroeger wel anders geweest; toch had toen de gemeenschappelijke armoede verbroederd.

Er woonde nu een gemengd gezelschap van studenten, werklozen, de oorspronkelijke, vaak al oudere buurtbewoners, en jonge mensen met te veel geld. Over die laatste groep, die nog steeds groeiende was, had ik mijn bedenkingen. Ze leken meer te komen halen dan te brengen en als gevolg van hun belangstelling voor De Pijp waren de prijzen voor etages de pan uitgestegen. Een voordeel was wel dat er overal restaurants waren gekomen, je kon er eten uit zo ongeveer alle keukens van de wereld: Marokkaans, Turks, Spaans, Grieks, Japans, Ethiopisch, Spaans en van alles wat ik nog moest proberen. Ik had een voorkeur ontwikkeld voor Surinaamse afhaalrestaurants, met hun eenvoudige interieur van wat formicatafeltjes, tl-verlichting en een vitrine annex afhaalbalie.

Ik werd regelmatig bij mijn benedenburen uitgenodigd om mee te eten. Een Surinamer van een jaar of vijftig, acteur en filmproducent, en zijn hoogblonde Nederlandse vriendin van rond de dertig, die als freelance secretaresse werkte voor advocatenbureaus waarmee ze voor een regelmatige bron van inkomsten zorgde. Vooral dankzij haar bleef ik goed op de hoogte van wat er allemaal in onze wijk speelde, want ze kende werkelijk iedereen. Als hij niet aan het werk was, stond hij vrijwel de hele dag te koken, typisch Surinaamse gerechten, waarvan de geuren bij mij kwamen binnen waaien. Hij kon zo goed koken dat ik haar de afgelopen jaren zichtbaar dikker had zien worden.

Toen Eileen nog leefde, werd er door ons vieren met volle overgave gegeten, gedronken, gerookt en gekletst. Na haar dood was dat opgehouden, maar sinds een jaar kwam ik weer zo nu en dan op bezoek. Het was alsof mijn buren nog meer hun best deden; hij met zijn koken en zij met een onuitputtelijke bron van gespreksonderwerpen.

Hoewel we ontspannen zaten te praten, bleef ik me afvragen waarom Jaap zo uitdrukkelijk op me had zitten wachten. Misschien had men vanuit de Zimbabwaanse ambassade de druk wel verder opgevoerd en hadden de bazen van De Vilder hem vervolgens weer onder druk gezet. Dan zou hij waarschijnlijk behoorlijk op scherp staan, wat me geen aanlokkelijk vooruitzicht leek. Ik had niet gepland om vandaag lang bij hem op het bureau te gaan zitten.

Mijn gedachten werden onderbroken door het gepiep van de mobiele telefoon van Jaap. Het gesprek was kort en liet aan duidelijkheid niets te wensen over. Na een kort: 'Ja, hij is er net, we komen zo naar het bureau,' werd er aan de andere kant van de lijn zo hard geschreeuwd dat Jaap de telefoon op enige afstand van zijn oor hield. Ik kon De Vilder niet verstaan, maar het was duidelijk dat hij totaal opgefokt was. Waarschijnlijk was het woordje 'zo' van Jaap niet goed gevallen. Toen De Vilder zweeg, antwoordde Jaap: 'Oké, we komen eraan. We zijn er zo,' om vervolgens zonder nog een reactie af te wachten, zijn mobieltje dicht te klappen.

'Kom, laten we gaan,' zei hij.

Toen ik De Vilder zag, deed hij me nog het meest denken aan een wandelende tijdbom. Hij was zo gespannen dat ik vreesde dat één verkeerde opmerking hem uit elkaar zou doen spatten. Dat deze man, die zich zo slecht onder controle had en bovendien met een vuurwapen rondliep, nog geen ongelukken had veroorzaakt, leek me een regelrecht mirakel. Overigens vond ik het net zo'n groot wonder dat zijn hart het nog niet had begeven onder al die opgekropte emoties en spanning.

Zonder iets tegen me te zeggen, ging hij me voor naar een van de verhoorkamers. Ik was gaan zitten, Jaap stond tegen de deur geleund, waarschijnlijk net zo benieuwd naar hoe De Vilder dit zou gaan aanpakken. Die was zo opgefokt dat hij aan de andere kant van de tafel onrustig heen en weer liep.

Toen barstte hij los: 'Vier dagen geleden hebben we het lijk gevonden van wat blijkbaar ook een vriend van jou was: Peter Fennema. Vermoord, geliquideerd. Twee dagen hebben we nodig gehad om uit te vinden dat jij ook deze jongen kende, net zoals je ook die Kabarebe kende. En twee lange, lange dagen zitten we nu al te wachten om met jou te kunnen praten. Twee dagen zonder vooruitgang, en neem van mij maar aan dat ze daar hier niet blij mee zijn.'

Hij schreeuwde nog net niet tegen me, maar dat ging hem niet gemakkelijk af. Hij zweeg, haalde diep adem, om vervolgens met een vinger naar me te wijzen alsof hij een pistool op me richtte.

'Eén ding is zeker: je gaat hier niet weg totdat ál mijn vragen afdoende zijn beantwoord.' Hij zweeg, in afwachting van mijn reactie.

Ik was verdoofd door wat ik had gehoord en voelde me plotseling misselijk. Ik zag het levendige gezicht van die jongen voor me en kon nauwelijks bevatten dat hij nu dood was. Ik had moeite dit vreselijke nieuws te bevatten. En dan De Vilder die me dat zo bot voor de voeten wierp, alsof het mijn schuld was.

Terwijl ik langzaam probeerde me te hervinden, realiseerde ik me dat ik één ding moest rechtzetten en dat ook maar meteen moest doen. Het was typisch voor De Vilder dat hij al zo snel een verkeerde conclusie trok.

'Peter Fennema kende ik inderdaad, maar die Kabarebe niet. Dat heb ik je al eerder gezegd. Misschien kende hij mij wel, maar ik hem dus niet.'

Ik zag vanuit mijn ooghoeken dat Jaap verbaasd zijn wenkbrauwen ophaalde, vervolgens verscheen er een glimlach om zijn mond. Zo te zien was hij zelf al bezig om conclusies te trekken uit wat ik net had gezegd. De Vilder was nog niet zover, maar hij was wel iets rustiger geworden.

Ik besloot het initiatief te nemen. 'Ik zeg in ieder geval niets meer voordat ik weet wat er aan de hand is. Verdomme man, het eerste dat je eruit knalt is dat Peter Fennema is vermoord. Ja, die kende ik inderdaad en ik heb er ook geen enkel probleem mee om je te vertellen hoe en waarom. Maar dan wil ik wel eerst weten wat er precies is gebeurd.'

De Vilder ging tegenover me zitten en draaide zich om naar Jaap: 'Haal even het dossier en neem dan meteen koffie mee.'

Het klonk als een bevel.

XVIII

Het lichaam van Peter Fennema was vier dagen geleden gevonden. In een greppel van een verlaten stuk havengebied aan de rand van Amsterdam. Zijn armen waren op zijn rug gebonden en hij was ernstig mishandeld. Zijn lichaam zat onder de blauwe plekken, van harde slagen en schoppen, en ze hadden zijn borstkas met een mes bewerkt. Zijn gezicht was zwaar toegetakeld en zat onder het bloed. Dat alles had echter niet de dood tot gevolg gehad: hij was overleden door een nekschot.

Het was wel duidelijk dat het met roof niets te maken had, hij had zelfs zijn portemonnee gewoon nog op zak, maar dat het ging om een afrekening. Dat was in ieder geval de eerste indruk.

Al snel waren ze bij Ernst Jimmink uitgekomen, dat was immers zijn beste vriend. Die was er dus niet, en toen ze de oude mevrouw Jimmink hadden ondervraagd, had ze niets anders kunnen doen dan te vertellen wat ze wist. Dat Ernst was verdwenen, met Ramona Leimann en een hoop geld, en dat ik was ingeschakeld door haar vader om ze te zoeken. Ik verweet haar niets, want ze had na zulk schokkend nieuws natuurlijk geen keuze.

Vervolgens hadden ze gesproken met Leimann, die niet anders kon dan het hele verhaal bevestigen. De Vilder had het een vreemde man gevonden; hij bleef opmerkelijk rustig onder het gebeurde. Ja, het klopte dat zijn dochter Ramona en een van zijn werknemers, Ernst Jimmink, verdwenen waren, met medeneming van een flinke som geld. Met alle respect voor de politie, maar hij had een privédetective, Jager Havix, ingeschakeld om dit zo discreet mogelijk op te lossen. Zijn dochter was erbij betrokken, vandaar.

Tijdens dat gesprek met Leimann, 'Ik wist niet dat er in Amsterdam nog zulke joden rondliepen', zei De Vilder met een stem waarin verbazing maar ook afkeer doorklonk, hadden ze ook de naam Kabarebe ter sprake gebracht en toen was het raak. Leimann bleek Kabarebe te kennen omdat ze zaken met elkaar deden, maar daarmee hield het wel op. Hij had geen idee wat Kabarebe in Nederland kwam doen, hij was er nog nooit eerder geweest voor zover Leimann wist. Toen De Vilder hem vroeg van wie hij had gehoord dat Kabarebe was vermoord, werd opnieuw de naam Havix genoemd.

De Vilder was wel zo slim geweest Leimann te vragen waarom hij niet naar de politie was gegaan toen hij hoorde dat Kabarebe was vermoord. Waarop Leimann had geantwoord dat hij, omdat hij feitelijk niets wist, ook niets te vertellen had dat zou kunnen bijdragen aan een oplossing van die zaak.

Sindsdien waren ze niet verder gekomen, en nu wilden ze dus heel graag met mij praten. Overal dook mijn naam op en dat terwijl ik zelf nergens te vinden was. De Vilder vond het nodig om tot slot te zeggen dat ik hopelijk wel wist dat ik deze keer ernstig in de problemen zat: 'Dat ziet zelfs een blinde.'

Toen hij zijn verhaal was begonnen, had hij uit het dossier de foto's gehaald van de vermoorde Peter Fennema, om ze vervolgens voor me uit te spreiden. Ik had ze kort bekeken, bij elkaar geveegd en ze naar de andere kant van de tafel geschoven. Ik had in de loop der jaren wel meer foto's gezien van mensen die door geweld om het leven waren gekomen, maar ik had er nooit aan kunnen wennen.

Terwijl De Vilder verder praatte, bekroop me een ongemakkelijk gevoel dat steeds sterker werd. Aanvankelijk was het onbestemd en kon ik de oorzaak ervan niet verklaren, totdat ik plotseling de link legde met de foto's die op tafel lagen. Er was iets op te zien geweest dat me op de een of andere manier bekend voorkwam. Dat besef was eerst heel vaag, maar werd steeds sterker. Ik moest me ertoe dwingen om naar De Vilder te blijven luisteren en niet opnieuw die stapel foto's te pakken. Als er al iets was, dan wilde ik niet dat De Vilder dat ook meteen zou weten.

Toen hij was uitgesproken, leunde hij achterover om mijn kant van het verhaal te horen. Wat kon ik hem vertellen? Zeker niet alles en ik wist dat hij daar deze keer geen genoegen mee zou nemen. Ik vertelde hem wat hij al wist, maar niet wat mijn zoektocht naar Ernst en Ramona had opgeleverd. Dat kon ik eenvoudig niet en ik was er ook van overtuigd dat die informatie De Vilder niet dichter bij de moordenaar van Kabarebe en Peter Fennema zou brengen.

Nadat ik mijn verhaal had gedaan, boog De Vilder zich weer naar me toe. De teleurstelling was op zijn gezicht te lezen geweest, maar maakte alweer plaats voor ergernis.

'Dat is niet genoeg, Havix. De vorige keer wel, maar nu niet. Waar ben je de afgelopen dagen geweest?'

'Dat is vertrouwelijk,' antwoordde ik.

Hij keek me heel even aan met een blik vol ongeloof, om vervolgens uit te halen: 'Vertrouwelijk, mijn reet!' Uit frustratie sloeg hij met gebalde vuist met volle kracht op de tafel, vlak voor me. Ik haalde mijn schouders op en deed er verder het zwijgen toe.

'Man, dat kun je toch niet menen. Er zijn twee mensen vermoord die jou kenden. En jij weigert te vertellen wat je de afgelopen dagen hebt gedaan. Het maakt me geen reet uit hoe, maar jij blijft hier zitten. En dat ligt niet aan mij, maar aan jezelf. Denk daar maar over na.' Hij keek zijn collega aan en zei: 'Jij mag het proberen. Misschien kun jij hem op andere gedachten brengen.'

Zonder verder nog iets te zeggen, verliet hij de kamer, hoofdschuddend.

Ik zat nog steeds aan tafel en realiseerde me dat ik goed klem zat. De Vilder kon me hier maar een paar dagen vasthouden, dan zou hij me weer moeten laten gaan, maar die tijd had ik niet. Het betekende dat wat ik vandaag had willen doen stil kwam te liggen, met alle risico's van dien.

Jaap stond nog steeds, met zijn handen op zijn rug leunde hij tegen de muur. Hij maakte geen aanstalten om me het vuur na aan de schenen te leggen.

Na een korte stilte nam hij toch het woord: 'En, ga je het uit-zitten, Jager?'

'Ik kan niet anders, Jaap. Als ik iets zou hebben, zou ik het jullie geven. Ik heb die foto's ook gezien. Die Kabarebe kende ik niet, maar Peter Fennema was een goede jongen. De hufter die dat heeft gedaan zouden ze aan zijn ballen moeten ophan-gen. En dan afmaken.'

Jaap legde zijn hand op mijn schouder. 'Rustig maar, Jager. Ik haal nog een keer koffie voor ons en dan mag De Vilder weer met je praten. Totdat ook hij begrijpt dat we zo niet ver-der komen.'

De Vilder had de moord op Peter Fennema een afrekening ge-noemd. Misschien had hij zijn woorden onzorgvuldig geko-zen, maar dat leek me niet. Hij had geen idee wat er werkelijk was gebeurd.

Peter Fennema was mishandeld omdat iemand had gepro-beerd informatie uit hem los te krijgen. Ten slotte was hij ge-dood, geliquideerd door hem een nekschot te geven.

Ik wist zeker dat Peter Fennema die informatie niet had ge-geven. Simpelweg omdat hij die niet had. Het besef dat hij voor niets was gestorven stemde me extra bitter. Uit de foto's sprak beestachtigheid. Wie dit had gedaan, had er geen moeite mee gehad Peter Fennema uit de weg te ruimen, geen enkele moeite.

Nadat Jaap me alleen had gelaten, had ik de foto's een voor een opnieuw bekeken en op tafel uitgespreid. In de stilte van die verhoorkamer bekeek ik ze met totale aandacht. Ik moest niet alleen maar vluchtig kijken, zoals ik dat de eerste keer, uit afkeer, had gedaan. Achter die gruwelijke beelden zat iets dat ik onbewust had herkend. Nu moest ik dat een plaats geven.

Ik pakte de foto's een voor een op, om ze vervolgens weer op hun plaats te leggen. Plotseling zag ik het. De herkenning veroorzaakte zo'n grote schok dat ik huiverde. Huivering die zich vermengde met ongeloof, want ik had moeite mijn ogen te geloven.

Toen ik weer tot mezelf was gekomen, pakte ik de betreffende foto van de tafel en stopte die in mijn jas. Van de rest maakte ik een keurig stapeltje dat ik aan de andere kant van de tafel legde.

Het duurde lang voordat Jaap weer terugkwam. Ik had de tijd gehad om mijn gedachten te ordenen. Die foto bood me in ieder geval de mogelijkheid om hier snel weg te komen. Toen hij de koffie voor me neerzette, vroeg ik of hij De Vilder wilde roepen. Hij keek me even verbaasd aan, maar zonder verder iets te zeggen ging hij op zoek.

'En?' was het enige dat De Vilder zei toen hij weer tegenover me zat.

'Misschien kan ik jullie helpen. Ik neem aan dat jullie verder nog niets concreets hebben over die twee moorden, iets dat ik nog niet weet. Klopt dat? Als jullie wel iets weten, dan wil ik dat nu horen.'

De Vilder antwoordde met tegenzin: 'Nog niet, maar dat is een kwestie van tijd.'

'En die heb je niet. Door de Zimbabwaanse ambassade zal er wel druk worden uitgeoefend en dat leggen ze nu op jouw schouders. Of niet soms?'

De Vilder ging er niet op in, maar zijn gedrag sprak boekdelen.

'Ik denk dat ik iets weet waarmee ik jullie kan helpen. Ik heb vierentwintig uur nodig om dat uit te zoeken. Klopt het wat ik denk, dan heb je een spoor. Dat geef ik aan jullie en in ruil laten jullie mij en de zaak waaraan ik werk met rust.'

De Vilder mocht dan zijn beperkingen hebben, hij had een feilloos instinct hoe hij gebruik kon maken van anderen. De beslissing om mij nu te laten gaan durfde hij echter niet alleen te nemen. Voor het eerst betrok hij Jaap actief bij het gesprek: 'En, wat denk jij?'

Op dat moment wist ik dat het pleit was gewonnen. Jaap antwoordde met een kort: 'Doen.' Ik had niets anders verwacht.

'Oké, Havix, vierentwintig uur. Dan verwacht ik je weer hier.' Hij deed de deur open.

'Laat jij hem uit?' Zonder nog iets te zeggen liep hij de gang in.

Het was opnieuw eerder een bevel geweest dan een verzoek. Nog geen minuut eerder had hij zijn collega nodig gehad om tot een beslissing te komen, om hem nu alweer als een stuk vuil te behandelen. Jaap bleef er stoïcijns onder, maar er werd heel wat van zijn incasseringsvermogen gevraagd.

Terwijl Jaap naast me liep, zei hij: 'Ik hoop dat je weet wat je doet, Jager. De Vilder staat niet alleen op scherp doordat die Kabarebe is vermoord, maar de moord op die jongen is weer een geval van een liquidatie in Amsterdam. Net nu iedereen nog over zijn toeren is over de liquidatie van Bertus Lüske. En in die zaak zit ook helemaal geen schot. De druk is hier op dit moment enorm en je hebt zelf kunnen zien dat De Vilder er niet goed mee kan omgaan. Normaal zouden ze hem niet de leiding hebben gegeven, maar er is niemand anders meer vrij. Nu hij een keer de baas is, wil hij koste wat kost scoren.'

Met een grijns zei ik: 'En daar ga ik hem misschien bij helpen. Zou dat ook het noodlot zijn?'

'Voor wat, hoort wat,' zei hij terwijl hij me doordringend aankeek. 'Ik had het idee dat het jou deze keer goed uitkwam. Maar je zette me wel even op het verkeerde been. Ik was verbaasd door jouw plotselinge omslag. Vertel me later maar eens waar we dat aan te danken hadden.'

Met die woorden namen we afscheid. Een slimme man. Mochten die vierentwintig uur voldoende zijn dan zou ik hem later persoonlijk en in alle vertrouwen vertellen wat er was gebeurd. Het hele verhaal.

Nu ik weer op straat stond, moest ik dringend bellen. Mijn eerste gesprek was met mevrouw Jimmink. Toen ik haar aan de lijn kreeg, moest zij natuurlijk eerst haar verhaal kwijt over wat er was gebeurd met Peter Fennema. Ze was diep geschokt, maar maakte zich tegelijkertijd zorgen over haar Ernst. Ik had het kort willen houden, maar besefte dat ik het meeste had aan een rustige mevrouw Jimmink. Toen ze haar hart had gelucht, nam ik het woord: 'Een heel belangrijk verzoek, mevrouw Jimmink: als Ernst u weer mocht bellen, laat hem dan niets weten over wat er met zijn vriend is gebeurd. Dat is erg belangrijk. Later zal ik u vertellen waarom, maar doet u dit alstublieft. In het belang van Ernst zelf. Hij mag absoluut nog niet weten wat er is gebeurd.'

Ze drong gelukkig niet aan op een verklaring.

Mijn telefoontje met professor Braeckman duurde veel langer. In tegenstelling tot het vorige gesprek moest ik er deze keer zelf voor waken niet te bezorgd over te komen. Professor Braeckman hoorde mijn verhaal zwijgend aan. Misschien had zijn verwevenheid met de geschiedenis van Congo, die zo vol was van gruwelijkheden en ongelooflijke gebeurtenissen, hem wel behoorlijk schokbestendig gemaakt, want hij reageerde opmerkelijk rustig. Toen ik was uitgesproken, antwoordde hij

met een beheerst: 'Dat is zeer ernstig wat u zojuist heeft verteld.'

Ik hoefde niet aan te dringen en kon meteen langskomen.

XIX

De vorige keer was ik met de trein naar Brussel gereisd, maar nu moest ik dat anders doen. Ik hield een taxi aan en liet me naar Rotterdam brengen, naar het Centraal Station. Daar stapte ik uit, rende naar de andere kant van het station en nam een volgende taxi, deze keer tot Antwerpen, waar ik hetzelfde deed en nogmaals van taxi wisselde.

Toen die mij uiteindelijk voor het Koloniënpaleis afzette, kwam het gebouw me nog dreigender en somberder voor dan tijdens mijn eerste bezoek. Dat sloot naadloos aan bij mijn stemming, want wat aanvankelijk een gewone zaak had geleken, was behoorlijk uit de hand gelopen. Ik moest er zelfs van uitgaan dat de moordenaar nu ook geïnteresseerd zou zijn in een gesprek met mij.

Ik was er zeker van dat ik niet was gevolgd, maar het zou me niet verbazen als mijn huis in de gaten werd gehouden. Ik kon mezelf gelukkig prijzen dat het Jaap was geweest die op me had zitten wachten en me had onderschept op het moment dat ik voor mijn eigen deur stond. Voor het eerst had ik iets om De Vilder dankbaar voor te zijn!

Professor Braeckman mocht dan telefonisch rustig hebben gereageerd, nu ik zijn gezicht zag was duidelijk dat ook hij zich grote zorgen maakte. Ik voelde me bezwaard dat hij hierbij betrokken was geraakt.

Op zijn kamer aangekomen, waarschuwde ik hem dat de foto geen prettige aanblik bood, om hem vervolgens onder het licht van zijn bureaulamp te leggen. Hij had het boek waarin ik tijdens mijn eerste bezoek had gebladerd al klaargelegd, opengeslagen op de pagina met de foto waar het mij om ging. Hij hield beide foto's naast elkaar en keek geconcentreerd. Er heerste totale stilte in de kamer, die alleen werd doorbroken door zijn zware ademhaling. Opnieuw viel me op hoe ongezond het klonk; zijn hart moest hard werken om dat veel te zware lichaam aan de gang te houden. Voor alle zekerheid pakte hij er een vergrootglas bij en keek opnieuw.

'Bijzonder knap dat het u is opgevallen. En ja, ik denk dat u gelijk heeft,' zei hij toen hij opkeek. 'Het is wel veel grover aangebracht, maar het is hetzelfde.'

'En op dezelfde plaats,' zei ik. 'Als ik al twijfelde, dan is dat weggenomen door de plaats; die is exact gelijk. Het enige verschil is dat het niet is ingekleurd. Weet u overigens wat voor kleur het was?'

'Rood.' Hij haalde diep adem. 'De kleur van de opgaande zon en de kleur van bloed. Doelbewust zo gekozen.' Het klonk vermoeid.

De zwart-witfoto die ik had herkend was al heel oud. Onder de foto stond: 'Belgische officieren van de Force Publique, Kisangani, 1902.' Tegen een achtergrond van een aantal eenvoudige hutten met rieten daken en hoge bomen van de jungle poseerden drie blanke mannen. Ze stonden naast elkaar, met ontbloot bovenlijf, een korte broek tot vlak boven de knie, kniekousen en legerschoenen tot net boven de enkel. Met geposeerde nonchalance hielden ze alle drie een geweer vast, in één hand, dat langs hun zij naar beneden hing. Ze keken strak in de camera.

Twee van de drie hadden ter hoogte van hun hart een eenvoudige tatoeage die uit niet meer dan een horizontale streep bestond van ongeveer acht centimeter lang, met daarop een halve cirkel, met een iets kleinere diameter. De halve cirkel was ingekleurd met wat volgens professor Braeckman rood was. De eenvoud van de tatoeage was tegelijkertijd zijn kracht, als een teken van een geheime broederschap. Altijd en overal direct herkenbaar.

'Dat is dus de horizon, met de opkomende zon?'

'Klopt. De zon die opkomt boven Congo,' antwoordde professor Braeckman.

'Waarom heeft die derde man eigenlijk geen tatoeage?'

'U kunt beter vragen waarom hij die nóg niet heeft. Vroeg of laat zou hij hem namelijk ook hebben gekregen. Die tatoeage was voorbehouden aan de officieren van de Force Publique, allemaal blanken welteverstaan, en meestal met de Belgische nationaliteit. Maar je kreeg hem pas als je zelf iemand had gedood. Dat gebeurde zoals u weet op grote schaal, het was voor ieder van hen slechts een kwestie van tijd. Veel van het moorden werd gedaan door hun ondergeschikten, maar ze draaiden er zelf ook hun hand niet voor om.'

De moordenaar van Peter Fennema had die tatoeage snel en grof in de borst van zijn slachtoffer gekerfd, ter hoogte van zijn hart, als een handtekening. Temidden van al die andere kerven in zijn borst was het De Vilder en Jaap niet opgevallen. Misschien was dat het laatste dat de moordenaar had gedaan, nadat hij Peter Fennema had geliquideerd. Met de mogelijkheid dat het was gebeurd terwijl hij nog leefde wilde ik liever geen rekening houden.

Het was een handtekening die op macabere wijze een periode van meer dan honderd jaar had overbrugd. Nu ik tegenover professor Braeckman zat, hoopte ik dat hij op de een of andere manier kon verklaren hoe het mogelijk was dat iets uit zo'n ver verleden weer was opgedoken.

Uit wat ik hoorde werd duidelijk dat die tatoeage in de tijd van de Congo Vrijstaat symbool had gestaan voor angst en terreur van het huurlingenleger met de naam Force Publique, dat bestond uit een blanke top van voornamelijk Belgen, die leiding gaf aan ongeveer tienduizend Afrikanen uit andere landen dan Congo. Dat relatief kleine leger had een door de geschiedenis vergeten massamoord op haar geweten.

De schattingen liepen uiteen van vijf tot vijftien miljoen Congolese slachtoffers. Als een steen die in het water valt en rimpelingen veroorzaakt die zich steeds verder verspreiden, zo had de Force Publique dood en verderf gezaaid tot in de verste uithoeken van dat enorme land. De Congolezen waren omgekomen bij de zware slavenarbeid, nodig om rubber en andere natuurlijke hulpbronnen te exploiteren, door de onbekende ziektes die door de westerse onderdrukkers waren meegebracht uit Europa, maar ook door executies en martelingen.

De wijze waarop de Force Publique gezag afdwong en opstanden neersloeg was zo wreed dat ze het bevattingsvermogen te boven ging. Wie in opstand kwam werd verminkt, gemarteld, vermoord of als slaaf verkocht aan andere stammen, in ruil voor rubber of ivoor. Hele dorpen werden uitgeroeid en met de grond gelijkgemaakt.

Omdat de gewone soldaten verantwoording moesten afleggen over elke kogel die was gebruikt, had men de gewoonte om van de slachtoffers handen, voeten of geslachtsdelen af te hakken en vervolgens gerookt aan een koord te rijgen. Dat roken was nodig om het snelle bederf tegen te gaan, waaraan alles onderhevig was in dat tropische klimaat.

Soms werden de kogels gebruikt voor de jacht. Om in zulke gevallen toch de gebruikte kogels te kunnen verantwoorden werden de handen van levende slachtoffers afgehakt. Als de cijfers maar klopten.

Duizenden wezen werden meegevoerd en getraind om later zelf in de Force Publique te dienen. Dat was hun 'enige thuis op deze wereld', zo werd hun geleerd. Dat alles gebeurde lang voordat in onze tijd het fenomeen kindsoldaat opgang deed en in Sierra Leone tijdens een bloedige en wrede burgeroorlog op grote schaal amputaties werden toegepast om vijanden te straffen.

Maar Congo was niet alleen een slachtplaats geworden voor de Congolezen zelf, ook de blanken stierven als vliegen. Geveld door tropische ziektes als malaria, slaapziekte en tyfus crepeerden ze ver van huis. De paar honderd Belgen die leiding gaven aan deze moordmachine moeten zelf in een permanente hallucinerende toestand hebben verkeerd, balancerend tussen luciditeit en waanzin. Uit alles bleek dat de waanzin vaak de overhand had gekregen.

Terwijl ik nogmaals naar de tatoeage keek, vroeg ik me af voor hoeveel Afrikanen het geen opkomende, maar juist de ondergaande zon had voorgesteld. Een van bloed doordrenkte zon, die onderging met de vraag of ze de volgende dag nog wel zou opkomen boven wat een vervloekt land was geworden. Misschien zou God wel zeggen: 'Genoeg is genoeg.' Maar Congo Vrijstaat moest het zonder een god stellen en had in plaats daarvan een duivel gekregen, in de gedaante van een verre Belg: koning Leopold II.

Die had van dat privéleger slechts een kleine toplaag goed betaald en zo aan zich gebonden. Voor de rest gold dat men moest 'leven van het land'. De soldij was zo laag dat de soldaten gedwongen waren te plunderen en te roven om in het eigen levensonderhoud te voorzien. Ook hieruit bleek dat de huidige Afrikaanse guerrillabewegingen hun manier van opereren niet van een vreemde hadden.

Professor Braeckman was niet te stuiten, maar mijn belangstelling ging niet zozeer uit naar dat verleden. Het ging mij ergens anders om. Toen hij even zweeg, vroeg ik: 'Maar dat alles is toch ruim honderd jaar geleden geëindigd. Begin 1900 heeft

Leopold toch afstand gedaan van zijn kolonie? Hoe moet ik dan verklaren dat er nu opeens een teken wordt achtergelaten dat verwijst naar die Force Publique?'

Hij zuchtte diep: 'Welaan, meneer Havix, was dat maar waar. Niet alles is honderd jaar geleden geëindigd. Toen onze regering Congo overnam, ging zij verder met de exploitatie. Weliswaar met minder excessen dan daarvoor, maar toch. Om dat te kunnen doen, had men natuurlijk ook zelf een uitvoerende macht nodig. Een harde hand zogezegd. Wat was er logischer dan gebruik te maken van de mensen die al aanwezig waren? De mensen die binnen de Force Publique de leiding hadden, begrepen wel dat ze nu voorzichtiger moesten opereren, maar hun ideeën waren niet wezenlijk veranderd. De negers waren inferieur, zijzelf superieur, en uit hoofde daarvan had men het recht om zo ongeveer te doen en laten wat men wilde. U zult ook weten dat soms veranderingen op het eerste gezicht ingrijpend lijken, maar dat je, als je goed kijkt, tot de conclusie moet komen dat er niet zoveel is gewijzigd.'

'Zeker, maar ik neem aan dat er wel iets veranderde toen Congo onafhankelijk werd?'

Op zijn gezicht verscheen voor het eerst een glimlach. 'U klinkt wat ongeduldig. Ik zou u graag een kort antwoord geven, maar ik ben bang dat de werkelijkheid ingewikkelder is. Ja en nee; ja, omdat door Mobutu een nieuw leger werd gevormd, de Forces Armées Zairoises, geleid door Congolezen. Stuk voor stuk natuurlijk vertrouwelingen van hemzelf. Mobutu was trouwens zelf opgeleid in die Force Publique en hij sprak met weemoed over de kameraadschap van die tijd, zeker in zijn laatste levensjaren toen hij niemand meer vertrouwde. En nee, omdat die voormalige Belgische huurlingen, die niet langer in het officiële leger de dienst uitmaakten, ondergronds gingen. Sommigen bleven in Congo, als adviseurs van het nieuwe leger. Anderen gingen terug naar België waar ze verdwenen, veelal in het criminele circuit. Maar ze hielden contact en ze waren altijd bereid smerige klusjes op te knappen. Soms voor Mobutu, als er een tegenstander uit de weg moest worden geruimd, mensen moesten worden omgekocht en bedreigd, als er illegale transacties moesten worden gedaan. Hier in België was er echter ook genoeg te doen. Dat zal u niet verbazen, of wel soms?'

Mijn 'nee' stond voor hem blijkbaar al vast, want zonder mijn reactie af te wachten, vervolgde hij: 'Mobutu mag er dan inmiddels niet meer zijn, de Force Publique is er nog steeds. De mannen die daartoe behoren, knappen samen smerige klusjes op, inclusief moord als dat nodig is, gaan naar dezelfde bordelen, drinken bier aan dezelfde stamtafels. Ze heffen trots het glas, trots op hun geschiedenis en trots dat ze nog steeds zulke goede banden hebben tot op de hoogste niveaus waar in België de dienst wordt uitgemaakt. Ik schaam me om het te zeggen, maar dat soort mensen gedijt goed in een land waar corruptie zo welig tiert en waar de mensen die het voor het zeggen hebben in de politiek, maar ook bij de rechterlijke macht en de Rijkswacht, rechts tot zeer rechts zijn.'

Het klonk me allemaal niet onbekend in de oren. De laatste jaren waren er in België nogal wat schandalen geweest. Dat de Force Publique als een soort geheim bondgenootschap nog steeds zou bestaan, was echter wel nieuws voor me.

'U weet dat we in België nogal wat schandalen hebben gehad waarbij keer op keer gesuggereerd werd dat er vanuit de politiek ook betrokkenheid zou zijn. In veel gevallen zijn dat hardnekkige geruchten. Nooit keihard bewezen, maar ze blijven wel de ronde doen. Neem de Bende van Nijvel. Die pleegt een aantal ongekend gewelddadige overvallen; het geweld lijkt een doel op zich. Er wordt nauwelijks iets gestolen, maar er worden wel achtentwintig mensen vermoord en er vallen tientallen gewonden. Dan verdwijnt die bende, om nooit meer iets van zich te laten horen. Een van de theorieën was dat het acties waren van rechts-extremisten om de regering in diskrediet te brengen en het land te destabiliseren, in de hoop op een autoritair regime. Dat lijkt voor een Nederlander waarschijnlijk vergezocht, niet-waar? Anderen legden verbanden met illegale drugs- en wapen-handel en seksschandalen, omdat sommige slachtoffers uit dat circuit kwamen. Al die moorden zouden niet meer dan een ver-kapte manier zijn geweest om een aantal mensen te liquideren. Eén ding is zeker: van hogerhand is alles gedaan om het onder-zoek tegen te werken. Vooral het Luikse gerechtshof heeft hier-bij een zeer kwalijke rol gespeeld, maar bijvoorbeeld ook de hoogste chef van de Rijkswacht. Verder is bekend dat er binnen onze Rijkswacht, een 'staat binnen de staat', een groep was die zich bezighield met extreem-rechtse en criminele activiteiten.'

Hoewel ik niet al deze details kende, herinnerde ik me nog wel hoe geschokt er was gereageerd na de laatste aanslag op een supermarkt van Delhaize. Er was nauwelijks iets gestolen, maar er waren wel acht mensen doodgeschoten.

'En wat dacht u van het Gladio-netwerk, de Agusta-smeer-geldaffaire, de Roze Balletten en de X-dossiers, met alle verha-len over seksfeesten en pedofilie? En ook in die vreselijke zaak Dutroux waren er theorieën over betrokkenheid van politici en andere hoge gezagsdragers bij seksorgieën en kindermis-bruik. Of neem de moord op André Cools, die van plan was een corruptieschandaal aan het licht te brengen. Vermoord in opdracht van Alain van der Biest, een andere politicus, die Tunesische huurmoordenaars had ingeschakeld. Van der Biest heeft zelfmoord gepleegd, de huurmoordenaars zitten gevangen en kortgeleden zijn een aantal van zijn voormalige assistenten ook door de rechter veroordeeld. En toch wordt beweerd dat er nog meer was. Weet u wat ik nog het meest be-angstigend vind van dit alles? De verbanden.'

Hij knikte, als ondersteuning van zijn eigen betoog.

'Al die zaken lijken met elkaar te maken te hebben. Wij ge-wone Belgen leven ons leven van alledag, maar dat doen we in een land waar allerlei sinistere dingen gebeuren.'

Ik kon me de moord op André Cools nog goed herinneren, al meer dan tien jaar geleden, maar dus recentelijk weer in het nieuws. Op het journaal was een foto te zien geweest van zijn lijk. Op een parkeerplaats, naast een aantal auto's. Die foto had me sterk doen denken aan die van de vermoorde Pim Fortuyn, een moord die relatief eenvoudig te begrijpen was, maar achter die op Cools ging een wereld schuil van corrupte politici en een justitieel apparaat en Rijkswacht die de zaak doelbewust hadden gesaboteerd.

'Dat er veel mis is, dat wil ik geloven. En misschien hangt het dan ook wel allemaal met elkaar samen. Maar dat laatste vind ik moeilijker te geloven dan het eerste.'

Professor Braeckman knikte instemmend: 'Dat ben ik met u eens. Ik ben wetenschapper en van nature zeer terughoudend als het gaat om allerlei complottheorieën. Toch zijn er te veel aanwijzingen om daar nog schouderophalend op te reageren. Die komen van een aantal bijzonder bekwame rechters en onderzoeksjournalisten. Overigens zijn die personen niet alleen maar capabel, maar ook dapper. Het is bitter om te moeten zeggen, maar in ons land is er moed voor nodig om over dit soort zaken te schrijven en de echte schuldigen te willen vinden. Volgens hen is er sprake van een sinister conglomeraat van misdaad, justitie en politiek. In zulk een context moet u ook de geruchten over de Force Publique plaatsen. Het is niet bewezen, maar er zijn hardnekkige geruchten.'

Hij stopte abrupt, alsof hij niet nog meer wilde speculeren, en leunde achterover in zijn stoel.

'Welaan, dit is wat ik u kan vertellen. Excuses als ik te lang van stof ben geweest, maar ik hoop dat ik u zo de context heb kunnen schetsen. Hopelijk helpt het u bij uw onderzoek.'

'Zeker, en ik ben u opnieuw bijzonder erkentelijk. Als ik u goed begrijp, moet ik dus op zoek naar iemand die deel uitmaakt van een soort ondergronds netwerk. Zoals u het beschrijft, zal het niet gemakkelijk zijn daarin te infiltreren. Ik begrijp dat ik ook niet hoef te rekenen op uw Rijkswacht.'

Professor Braeckman veerde geschrokken overeind: 'Nee, zeker niet. Ik wil me niet te veel laten meeslepen door wat we gewend zijn te zien in allerlei spannende films, maar als u de Rijkswacht benadert met zo'n vraag is er een aanzienlijk risico dat zij die informatie doorspelen naar de mensen naar wie u juist op zoek bent. Nee, dat lijkt me zeker niet de goede ingang. Natuurlijk zijn de meesten van onze agenten eerlijk, maar hoe beoordeelt u dat? En zelfs als ze eerlijk zijn, zullen ze wat ze horen rapporteren aan hun meerderen. Dat strakke hiërarchische denken is een van de kenmerken van onze Rijkswacht.'

Dat was slecht nieuws. Het betekende dat ik De Vilder en consorten niet in actie kon brengen door ze rechtstreeks contact op te laten nemen met de Rijkswacht. Van samenwerking tussen die twee partijen hoefde ik niet veel te verwachten.

'Oké, die vallen dus af. En die rechters en onderzoeksjournalisten? Hoeveel zijn dat er eigenlijk?'

'Die zijn op de vingers van één hand te tellen, maar er zijn er twee waarvan ik denk dat u die dan het beste kunt benaderen. Eén journalist en één rechter.'

Blijkbaar moest ik niet alleen op zoek naar iemand die deel uitmaakte van een ondergronds netwerk, maar die ook nog eens voortkwam uit een of andere Belgische onderklasse.

'White trash' had professor Braeckman ze genoemd toen ik vroeg of hij me iets meer kon vertellen over om wat voor soort mensen het ging. 'Maar dan van een soort dat u in Nederland nog niet kent. Als u hier in Brussel, maar vooral in Antwerpen en Luik, de verpauperde vroegere arbeiderswijken in gaat, komt u terecht in een andere wereld. In Engeland zie je dat ook, maar u bent er gelukkig nog van verschoond gebleven. In die wijken heerst armoede, verval en een uitzichtloosheid die zich uit in menselijke aftakeling. Alcoholisme, geweld, een totaal gebrek aan interesse om nog aan de maatschappij deel te nemen en haat. Heel veel haat, tegen alles wat men de schuld kan geven voor de eigen ellende. Kent u de uitdrukking dat hoop datgene is dat het laatste sterft? Welaan, dat is een soort romantiek dat daar niet opgaat. In die wijken geldt voor veel mensen dat de haat hetgene is dat het laatste sterft. De hoop is al veel eerder uitgedoofd. Het is niet voor niets dat extreemrechtse politieke partijen daar zo goed scoren. Dat is het milieu waar de Force Publique zijn mensen ronselt voor allerlei smerige zaakjes.'

Met die sombere woorden namen we afscheid. Ik was veel wijzer geworden, maar ook bijzonder slechtgehumeurd.

XX

Professor Braeckman had me twee namen gegeven. Ik besloot met de journalist te beginnen. Misschien viel er wat te regelen. Als zijn hulp iets zou opleveren, dan kon ik hem de primeur bieden voor een verhaal. De rechter zou waarschijnlijk meer willen weten over mij en de zaak waarmee ik bezig was dan ik op dit moment bereid was te vertellen. Als de rechterlijke macht zo gecorrumpeerd was als professor Braeckman me had verteld, stelde ik me zo voor dat de enkeling die de durf en de intelligentie had om die wanpraktijken aan de kaak te stellen behoorlijk wantrouwend zou zijn.

Toen ik Geert Valkeniers opbelde, klonk hij in eerste instantie kortaf, maar toen ik zijn aandacht had, veranderde dat snel. Het was alsof ik hem aan de andere kant van de lijn vanuit een ongeïnteresseerde houding plotseling overeind zag komen in zijn stoel. Hij gaf me het adres van de krant waarvoor hij werkte en we spraken voor de ingang af, want ik had geen zin om op een redactie mijn gezicht te laten zien. Hoe anoniemer hoe beter en één op één contact was meer dan voldoende.

Wat de man die zich aan mij voorstelde het meest typeerde, kon ik niet meteen benoemen, maar ik voelde een lichte teleurstelling. Blijkbaar had ik iemand verwacht die een sterkere indruk zou maken, beïnvloed als ik was door professor Braeckman, die hoog van hem had opgegeven. Volgens hem was het een van de beste onderzoeksjournalisten van België, die meerdere schandalen aan het licht had gebracht en erom bekendstond dat als hij eenmaal een spoor had, hij zich als een pitbull in zijn prooi vastbeet.

Jarenlang was hij verguisd en bespot, omdat hij met schandalen was aangekomen die aanvankelijk werden afgedaan als de hersenspinsels van iemand met een grenzeloze fantasie. Totdat de bewijzen zich opstapelden en men er niet meer omheen kon dat Valkeniers steeds gelijk had gehad.

Toen ik tegenover hem zat in een café en de tijd had genomen om hem beter te bekijken, kon ik wel de vinger leggen op wat er bijzonder aan hem was. Hij was in één woord onopvallend. Netjes, maar saai gekleed. Van gemiddelde lengte, niet dik, niet mager, een jaar of vijftig. Een gezicht dat noch knap noch lelijk was, met daarboven keurig geknipt sluik, donkerblond haar, netjes in een scheiding gekamd. Er was niets aparts aan hem; niets dat de balans naar links of naar rechts deed uitslaan.

Ik kon me voorstellen dat dat juist een voordeel was. De mensen die hij sprak zouden niet erg bezig zijn met te bepalen of hij nu boven of naast ze stond, of dat hij op de een of andere manier een bedreiging kon zijn. Misschien dat een enkeling hem onbewust zelfs onderschatte en zo meer los liet dan wellicht de bedoeling was.

Wat er markant aan hem was, merkte ik pas toen hij begon te praten en vragen stelde. Hij leek me vlijmscherp in het doorgronden van wat er wel en niet werd gezegd, wat er werd achtergehouden, in het midden gelaten of te rooskleurig werd voorgesteld. Hij had het zeldzame talent om tussen de regels door te lezen wat er werkelijk werd bedoeld. Het gaf me een onbehaaglijk gevoel, wat nog werd versterkt door het feit dat hij geen enkele moeite deed om een ontspannen sfeer te creëren. Het was duidelijk dat we wat hem betrof niet snel genoeg ter zake konden komen.

Van alle mensen die ik tot nu toe had gesproken, was ik tegenover hem het verst gegaan in het verstrekken van informatie. Dat was een risico, maar ik kon niet anders. Over het adres van Ernst en Ramona had ik niets verteld, wel over de fraude die ze op het spoor waren gekomen, overigens zonder te vermelden waar de bewijzen daarvoor te vinden waren. Even had hij geprobeerd me meer informatie te ontfutselen, maar hij begreep al snel dat ik gelijk wilde oversteken. De foto liet ik hem wel zien. Hij keek er lang naar.

Toen hij sprak, had hij een beslissing genomen: 'Of die Force Publique echt nog bestaat, weet ik eerlijk gezegd niet. Ik ken de geruchten maar heb bij gebrek aan harde feiten er nooit over geschreven. Uw verhaal zou me de gelegenheid bieden om met iets concreets te komen.'

'Dat lijkt me ook. Wat ik van u nodig heb, is een naam of wat voor informatie dan ook, die me dichter bij die Force Publique kan brengen. U hoeft zich er verder niet mee te bemoeien.'

Hij schudde afkeurend zijn hoofd en zei: 'Het feit dat ik er zelf nauwelijks iets van af weet komt omdat er geen buitenstaanders in doordringen. Op dat niveau hoeven we het niet te proberen. Maar er zijn mensen die ze aansturen, opdrachtgevers. Wat ik in uw hele verhaal niet begrijp, is waarom die Kabarebe is vermoord. Die had toch juist baat bij het vinden van dat stel. Die is nu als mogelijke opdrachtgever weggevallen. Een dode opdrachtgever.'

Hij sprak die laatste woorden met extra nadruk uit en keek me vragend aan. We begrepen allebei het belang van die vraag, en ik had die mezelf ook al gesteld. Waarom was Kabarebe vermoord?

'Dat weet ik ook niet,' antwoordde ik. 'Nog niet, maar ik hoop daarachter te komen als ik de moordenaar of moordenaars van Peter Fennema vind. Dat is het aanknopingspunt dat ik zoek en daar heb ik uw hulp bij nodig.'

Geert Valkeniers dacht daar anders over. Hij leek eerder geïntrigeerd door de moord op Kabarebe en was blijkbaar van plan om eerst dat spoor te volgen. Het was alsof hij me niet had gehoord.

'Die Kabarebe was geen onbekende in Brussel. Hij had veel geld en dat mocht iedereen weten. Maar hij had ook vijanden. U weet al dat hij uit Zimbabwe kwam. Wel, er is hier in Brussel een grote Congolese gemeenschap, de meesten wonen in de wijk Matonge. Dat is echt een stukje Congo in onze stad. Veel kleine kapperszaken, winkels met exotische groente en fruit, Congolese kranten zoals *Le Soft* en *Le Palmarès*, en vooral de vele restaurants met typische gerechten zoals kip in pindasaus, in palmbladeren gestoomde vis en gefermenteerde cassave. Als je goed zoekt, kun je zelfs krokodil en rupsen vinden. En Matonge heeft een eigen radiostation, Radio Panik. Ik luister er weleens naar. De muziek is niet om aan te horen, maar ze geven opvallend goede informatie over wat er in het moederland gebeurt. De Congolezen die samen met Mobutu het land leeg hebben gestolen, woonden of wonen in Rhode St. Genesè, Uccle, Waterloo en andere chique buitenwijken van onze stad, maar de gewone Congolees die zijn land om de een of andere reden moest verlaten, is hier in de wijk terechtgekomen. Die mensen konden het bloed van Kabarebe wel drinken; die liet het breed hangen, met geld verdiend met het leegroven van hun land. Een bittere pil.'

'Dus?'

Hij haalde zijn schouders op. 'Daar is informatie te halen.'

'De mens is de mens een wolf,' zei ik cynisch.

Geert Valkeniers keek me strak aan: 'De informatie die ik krijg is inderdaad vaak van iemand die een ander wil zwartmaken of uitschakelen. Het is maar zelden belangeloos. Dat kan men ook niet verwachten in de kringen waar dit soort dingen gebeuren. Of dacht u van wel? Daarmee zult u in uw werk toch ook te maken hebben?'

'Ja, maar ik heb de indruk dat ik bij deze zaak dieper moet afdalen dan ik normaal gewend ben.'

'Welkom in België,' zei Valkeniers spottend. Op medeleven van zijn kant hoefde ik niet te rekenen. Toen ging hij weer verder met zijn eigen gedachtegang: 'Kabarebe was niet meer dan een pion van Mugabe. Wie die fraude waar u het over heeft aan het licht brengt, beschadigt uiteindelijk Mugabe. Wie heeft daar belang bij?'

Zonder mijn reactie af te wachten stond hij op. 'Ik zal kijken wat ik kan doen. Onze afspraak is duidelijk. Ik help u op weg om die mensen te vinden, u levert mij harde informatie. Oké?' Dat klonk niet als een vraag.

Ik knikte. 'Dat is inderdaad wat we hebben afgesproken.'

'Prima, u hoort van me. Waar kan ik u bereiken?'

Ik gaf hem de naam van het Carlton Plaza, waar ik ook de vorige keer in Brussel had overnacht. Ik wilde in de buurt blijven en was hoe dan ook niet van plan naar mijn eigen huis in Amsterdam te gaan. Daar stonden ze waarschijnlijk voor me in de rij.

XXI

De rest van de middag bracht ik door in een internetcafé, met het lezen van van alles en nog wat over de plundering van Congo. Het was een lijst van honderden en honderden artikelen.

Wat me verbaasde was dat er zoveel bekend was over de spelers, vele werden met naam en toenaam genoemd, of het nu ging om politici uit Rwanda, Uganda, Zimbabwe of Congo zelf, wapenhandelaren of bedrijven uit een groot aantal landen die bij de exploitatie en handel waren betrokken.

Er was zoveel informatie en tegelijkertijd leek er zo weinig aan gedaan te worden om de betrokkenen te vervolgen. Er werd wel het een en ander ondernomen, vaak door de regeringen van de landen waar de bedrijven geregistreerd stonden en hun thuisbasis hadden, mede als gevolg van wat die VN-onderzoekscommissie had aanbevolen, maar het leek of de betrokkenen als reactie daarop hun manier van opereren eerder hadden aangepast dan beëindigd. Het ging ook om zoveel geld, en het lag voor het grijpen voor wie voldoende durf had om zich in dat spel te mengen.

Ik dineerde laat, in het sfeerloze restaurant van mijn hotel, dat op een paar mensen na leeg was, omdat ik geen zin had om iets anders te zoeken. Tijdens de maaltijd zette ik de zaken nogmaals op een rijtje. Ik hoopte snel iets te horen van Geert Valkeniers. Veel tijd had ik niet voordat De Vilder zich weer op me zou storten.

In bed las ik nog even in *Heart of Darkness* van Joseph Conrad, maar ik kon me niet concentreren. Ik had moeite om in slaap te komen. Ik was nu afhankelijk van een man die ik nauwelijks kende. Misschien was hij wel bezig met een zaak die voor hem urgenter was of kon hij mij simpelweg niet verder helpen.

De volgende ochtend zat ik te ontbijten toen een van de kelners me kwam zeggen dat er telefoon voor mij was. Het was Geert Valkeniers, met nieuws. In het telefoongesprek liet hij niets los, alleen dat hij een afspraak voor me had geregeld. Hij verwachtte me bij de hoofdingang van het Egmondpark.

Dat was voor mij zo dichtbij dat ik er op mijn gemak naartoe wandelde. Het was koud en in de lucht hingen donkere wolken. Het zou me niet verbazen als het zou gaan sneeuwen.

Hij keek nog net zo stuurs als de vorige keer en stak meteen van wal: 'Ik neem u zo mee naar onze afspraak, maar eerst moet ik u iets vertellen. Kom, laten we even een rondje door het park lopen.'

Terwijl we naast elkaar liepen door een park dat nu kaal was, maar in de zomer ongetwijfeld fraai zou zijn, vertelde hij me dat hij vrij eenvoudig had kunnen achterhalen dat Kabarebe, als directeur van Gécamines, zaken deed met een joint venture van een Amerikaans en een Belgisch bedrijf. Het Amerikaanse bedrijf heette AM Mining Corporation, de Belgische partner, en daar ging het om, was GV: Groupe Verthé. Die onderneming was eigendom van de Belgische zakenman Walter Verthé, een zeer vermogend iemand met contacten in de hoogste politieke en bestuurlijke kringen.

De Groupe Verthé hield zich bezig met een groot aantal activiteiten, zoals mijnbouw, mobiele telefonie, de exploitatie van een aantal kleine luchtvaartmaatschappijen, productie van lichte wapens, militaire kleding en tenten. Het belangrijkste werkterrein van de onderneming was Afrika, en opvallend vaak ging het om landen waar het onrustig was en het staatsgezag werd ondermijnd door interne oorlogen en guerrillabewegingen van allerlei pluimage.

Ik realiseerde me dat ik die naam ook in het VN-onderzoeksrapport was tegengekomen. Tot zover dus weinig nieuws.

'Ik weet niets zeker,' zei Valkeniers, 'maar het zou kunnen dat Kabarebe zijn zakenpartner te hulp heeft geroepen om dat probleem met die Ernst op te lossen. Op de een of andere manier moet hij mensen met contacten in Europa hebben gezocht. Zijn eigen werkterrein was immers Afrika. Met de zaken waarmee GV zich bezighoudt, vermoed ik, maar ook dat kan ik niet hardmaken, dat ze goede contacten hebben in het Belgische criminele circuit. Dat is één. Er is echter nog iets dat u in deze zaak wellicht verder kan helpen. Weet u wat een *asset stripper* is?'

Ik was die term al meerdere keren tegengekomen in informatie over Congo, ook in de VN-rapporten. Oorspronkelijk was het een term uit de financiële wereld. Zogenaamde 'raiders' namen met geleend geld een bedrijf over dat om de een of andere reden ondergewaardeerd was, om vervolgens alle goed renderende onderdelen, de echte 'assets', apart te verkopen. Het bedrijf werd als het ware uitgekleed: 'gestript'. In het geval van Congo had het een andere betekenis gekregen.

'U bent goed op de hoogte,' zei Valkeniers. Het klonk niet waarderend, maar eerder alsof hij het niet had verwacht. 'Laat ik dan meteen naar het geval gaan waar het hier volgens mij om draait. Het komt erop neer dat de Congolese regering in haar strijd tegen de verschillende militaire facties die worden gesteund door Rwanda en Uganda, de steun nodig heeft van Zimbabwe. Die hebben ze heel hard nodig, omdat de regering zelf absoluut geen vuist kan maken maar wel graag aan de macht wil blijven. Die steun krijgt men, maar daar wordt een heel hoge prijs voor betaald. In ruil voor haar hulp heeft de regering het management van Gécamines overgedragen aan Zimbabwe. Wel niet officieel, maar daar komt het met de benoeming van Kabarebe wel op neer. Vervolgens heeft Gécamines een overeenkomst afgesloten met die Amerikaans-Belgische joint venture. Die hebben voor twintig jaar het recht gekregen op de exploitatie van wat wel het Three Mountains Project wordt genoemd. De winst gaat naar die bedrijven, naar Zimbabwe, dat wil zeggen: Mugabe en zijn kliek en een paar invloedrijke Congolezen in de regering. In de staatskas komt vrijwel niets terecht. Dat is de asset stripping waar het in dit geval om gaat. Om u een idee te geven van de bedragen die hiermee zijn gemoeid: men schat dat in die drie bergen van koper en cobalt ongeveer drieduizend ton germanium zit, met een marktwaarde van ruim twee miljard dollar. Germanium is zeer zeldzaam, het wordt onder andere gebruikt in telecommunicatiesatellieten en infrarood kijkers. Het Three Mountains Project wordt algemeen beschouwd als de meest winstgevende mijnbouwconcessie van Congo en daarmee van Afrika. En Walter Verthé zit op de eerste rij. Daar wordt door heel wat bedrijven met jaloezie en afgunst naar gekeken.'

De toon waarop hij dat laatste had gezegd, suggereerde dat het een belangrijke mededeling was. Nu zweeg hij om te zien of ik zelf al begreep welke kant het op ging. Het gaf me het onplezierige gevoel dat hij zo mijn intelligentie probeerde te testen, en de geringe sympathie die ik koesterde voor deze man nam nog verder af.

'Dat is mijn tweede punt,' zei hij na een tijdje. 'Walter Verthé zit goed zolang het rustig blijft rond die concessie en er niemand in opspraak komt. Wat u heeft uitgevonden kan die rust verstoren. Dat is in potentie dus zeer explosief materiaal. De man die we straks gaan ontmoeten zou zeer gebaat zijn bij rumoer rondom Walter Verthé, het zou hem de mogelijkheid bieden zichzelf naar voren te schuiven.'

Zwijgend liepen we naast elkaar. Ik overdacht wat Valkeniers had gezegd. Misschien bood het een mogelijkheid. De ene zakenman die de ander dwars wil zitten. Het leek vergezocht, maar ik had inmiddels zoveel bizarre verhalen over Congo gehoord en gelezen dat dit wel leek te passen. Ik moest denken aan de opmerking van professor Braeckman dat de werkelijkheid van dat land het bevattingsvermogen te boven ging. En wat had ik verder eigenlijk te verliezen? Hoe kon ik in godsnaam zelf iets te weten komen over die Force Publique?

Nadat we zo een stuk hadden gewandeld, vroeg Valkeniers: 'En, wat denkt u?'

'Ik begrijp dat u deze man heeft gebeld en hem een worst heeft voorgehouden?'

'Ja, zo kunt u dat zeggen. Mochten de moordenaars van die jongen die Ernst eerder vinden dan u, dan komt er geen verhaal naar buiten over fraude. Worden ze gestopt, dan gebeurt dat wellicht wel, en dan is dat hoe dan ook schadelijk voor Verthé, omdat hij met de betrokkenen zaken doet. Als die het veld moeten ruimen, is het vervolgens maar de vraag wat hun opvolgers vinden van de samenwerking met Groupe Verthé.'

'Die redenering kan ik volgen. Waarom wil deze man mij zelf spreken?'

'Hij kent me,' zei Valkeniers met een kille glimlach, 'maar hij vertrouwt me natuurlijk niet. Voor hetzelfde geld wil ik hem een streek leveren. Dat in de eerste plaats, maar wat belangrijker is: hij wil van u weten in hoeverre u echt iets hards heeft.' Hij hield de pas in en keek me aan: 'Ik waarschuw u vast dat u straks heel overtuigend zult moeten zijn. Als hij twijfelt, zal er niets gebeuren.'

'Ik ben nu wel benieuwd om wie het gaat,' zei ik.

'De man die we straks gaan ontmoeten heet Frederik van Rooyen, een Zuid-Afrikaan die inmiddels permanent in België woont. Ook hij is actief in Congo, maar dan in het gedeelte dat gecontroleerd wordt door groepen die worden gesteund door Rwanda. Daar is het ook goed zaken doen, maar ik denk dat hij graag van plaats zou willen ruilen met Walter Verthé. Verder zijn het niet alleen maar concurrenten, maar hebben ze ook een hartgrondige hekel aan elkaar. Niemand kon me overigens vertellen waarom dat zo is.'

'Oké, ik weet nu ongeveer wat ik kan verwachten. U doet uw reputatie eer aan.'

Iemand anders had misschien geglommen of gelachen bij zo'n compliment, of had gezegd dat het niet zo ingewikkeld was geweest, maar het leek of Valkeniers het niet had gehoord. Er veranderde niets aan zijn gezichtsuitdrukking. Alles wat naar zijn mening niet relevant was leek volkomen langs hem heen te gaan.

'Waar gaan we nu naartoe?' vroeg ik.

'Hotel Conrad, aan de Avenue Louise, hier vlakbij. Dat is het duurste hotel van onze stad, met vijf sterren natuurlijk. Bill Gates en Clinton hebben er overnacht. Van Rooyen komt daar regelmatig om van de voorzieningen van de Health and Fitness Club gebruik te maken. Sauna, massage, schoonheidssalon; dat soort zaken. Hij is nogal bezig met zijn uiterlijk, het is een ijdele man. Dat zult u zo wel zien.'

Achter een indrukwekkende negentiende-eeuwse gevel bevond zich een zeer modern en luxueus hotel. Een grote en hoge lobby met veel marmer, enorme kristallen kroonluchters, donkerbruine leren fauteuils en bankstellen op een dik, diepblauw tapijt. We werden verwezen naar het restaurant Maison de Maître, waar Van Rooyen aan het ontbijt zou zitten.

Ook daar was er alles aan gedaan om een indruk van grandeur te geven. In een zaal die goed was bezet met ontbijtende gasten werden we voorafgegaan door een ober, die ons naar de tafel van Van Rooyen bracht. Hij had zich aan de straatkant geïnstalleerd, aan een van de grote en hoge ramen met uitzicht op de boulevard en het tegenoverliggende plantsoen. Hij zat alleen aan tafel.

Toen hij ons zag, stond hij op, met in zijn ene hand een keurig gestreken en oogverblindend wit servet dat hij van zijn schoot had gehaald. Hij schudde mij en Geert Valkeniers de hand en gebaarde ons uitnodigend om te gaan zitten.

Hij was een en al voorkomendheid en vriendelijkheid. Hij wenkte naar een wachtende ober en vroeg ons wat we wilden gebruiken. Ik had net ontbeten, dus ik hield het bij een kop koffie. Hij raadde me de salade aan van vers fruit. Echt vers fruit en niet die te vroeg geoogste vruchten die in de supermarkt werden verkocht. Mango's, ananas, papaja, passievrucht; allemaal zo vers ingevlogen uit Afrika, betoogde hij.

'U moet weten dat ik oorspronkelijk uit Zuid-Afrika kom. Ik neem aan dat meneer Valkeniers u dat wel heeft verteld? In de tuin van ons ouderlijk huis stonden allerlei fruitbomen. De smaak van dit fruit vervult me zo nu en dan met weemoed. Het is al zo lang geleden, maar als ik dit fruit proef, komt mijn jeugd weer heel even dichtbij. Wat zijn de jaren snel voorbijgegaan!'

'Begrijp ik dat u inmiddels niet meer in Zuid-Afrika woont?' vroeg ik vriendelijk.

Ik stelde die vraag meer uit beleefdheid dan uit werkelijke interesse. Het gaf me de gelegenheid om hem eens goed te bekijken. Ik schatte hem rond de zestig. Al wat ouder dus, maar zo te zien in een goede conditie. Hij was stijlvol gekleed in een donkerblauw maatkostuum met fijne krijtstreep. Een smetteloos wit overhemd waarin geen kreukje viel te ontdekken, met zilverkleurige manchetknopen die keurig onder zijn mouwen vandaan kwamen. Een zachtgele stropdas, van zijde nam ik aan, met aan de onderkant een zilveren speld. Op de speld na vond ik hem smaakvol gekleed, de kleding van een succesvol zakenman, maar de speld viel uit de toon en gaf hem iets verwijfds.

Zijn huid was opvallend bruin, te bruin, net iets te veel zonnebank. Zijn gezicht was knap en had een krachtige uitdrukking. Daar was in ieder geval niets verwijfds in terug te vinden. Zijn lichtblauwe ogen keken me indringend en vriendelijk aan, alsof hij echt een poging deed met me in contact te komen en me beter te leren kennen. Het leek erop dat iedereen op zijn aandacht kon rekenen, maar ik vroeg me af of dat niet gespeeld was. Zijn sluike haar was keurig in een scheiding gekamd en er was nog geen spoor van kaalheid te ontdekken. Het meest opvallend aan hem was de kleur van dat haar. Het was zuiver wit. Niet grijs, niet zilverkleurig, maar echt wit, zoals dat van Andy Warhol. Het gaf hem iets onnatuurlijks, dat allesoverheersend was, ondanks alle aandacht die hij aan zichzelf had besteed.

'Nee, helaas niet meer,' beantwoordde hij mijn vraag. 'Het spijt me om te zeggen maar Zuid-Afrika is niet meer wat het geweest is. Begrijp me goed, het apartheidsregime was toe aan verandering, maar ik constateer dat men helaas naar de andere kant is doorgeslagen. In Zimbabwe worden nu de blanke boeren van hun grond gegooid. Dat gebeurt gelukkig niet in Zuid-Afrika, maar toch is het voor een blanke ondernemer moeilijk om met een zekere bewegingsruimte zaken te kunnen doen. Het is nu allemaal *black empowerment*, de zwarten die de leiding moeten krijgen, maar uiteindelijk gaat het er toch om dat de mensen met de meeste capaciteiten leiding zouden moeten geven. Of het nu om een bedrijf of het land gaat. Vindt u ook niet? Overigens woon ik met veel genoegen in België, een zeer gastvrij land met vriendelijke mensen.' Hij keek glimlachend naar Geert Valkeniers, alsof hij ook hem hiermee wilde complimenteren.

Hij onderbrak zijn betoog om naar een ober te wenken.

'Wilt u nog koffie? Ik in ieder geval wel.' Hij bestelde zonder de ober aan te kijken en de vriendelijkheid was vrijwel uit zijn stem verdwenen. Die had hij blijkbaar voor mij en Geert Valkeniers voorbestemd. Met die actie had hij in één keer de indruk die hij op mij had willen maken van oprechte interesse en beleefdheid tenietgedaan.

'Ik ben blij dat u ons kon ontmoeten,' zei ik. 'U heeft inmiddels wel begrepen hoe belangrijk uw hulp voor ons kan zijn.'

Hij glimlachte en roerde overdreven aandachtig in zijn koffie. Uit al zijn gebaren bleek dat hij zich zeer bewust was van zichzelf.

'U zegt het al: "kan zijn". Ik moet u zeggen dat wat meneer Valkeniers mij heeft verteld een bijzonder verhaal is. Wat ik me afvraag is hoe concreet die zogenaamde fraude is. Kan het werkelijk worden aangetoond of zijn het alleen maar veronderstellingen?'

'Er zijn keiharde bewijzen.'

'Maar ik begrijp dat u die Ernst nog niet gevonden heeft. Hoe weet u dat dan?'

Die vraag had ik verwacht, maar ik was niet van plan daar volledig open over te zijn. Het laatste stukje van wat ik wist hield ik voor me, voor iedereen.

Ik haalde mijn schouders op. 'Dat hou ik liever voor me.'

We keken elkaar strak aan.

'Hmm, misschien is het goed als u nog eens precies vertelt wat die fraude inhoudt en wat volgens u die harde bewijzen zijn.'

Ik nam ruim de tijd om hem in detail te vertellen wat ik wist. Wilde ik iets van hem loskrijgen, dan was het cruciaal dat hij ervan overtuigd raakte dat het hier om een zeer serieuze zaak ging en niet om een of ander vaag verhaal. Dat had Geert Valkeniers me ook al op het hart gedrukt.

Hij luisterde aandachtig en stelde voortdurend vragen. Op mijn antwoorden reageerde hij noch instemmend noch goedkeurend: wat hij ervan vond, hield hij strikt voor zichzelf.

Ik hoopte dat de boodschap was overgekomen. Uit zijn volgende vraag bleek in ieder geval dat hij nog steeds geïnteresseerd was. 'U heeft dus contracten gezien. Opgesteld op briefpapier van Gécamines. Kunt u beschrijven hoe dat papier eruitziet?'

Ik vermoedde dat hij doelde op het logo van Gécamines, dat aan de bovenkant op het briefpapier was afgedrukt. Toen ik dat had beschreven, knikte hij, voor de eerste keer, zonder iets te zeggen.

Het was even stil aan tafel, toen veranderde hij plotseling van onderwerp: 'Ik heb begrepen dat u privédetective bent. Wat verdient u als u deze zaak oplost?'

'Een percentage van die 2,7 miljoen euro die is gestolen. Tenminste, als ik het terug kan vinden,' antwoordde ik.

'U bent dus eigenlijk een soort moderne premiejager? Of vindt u dat een te oneerbiedige omschrijving?'

'Nee, helemaal niet. Dit is wat ik doe om mijn geld te verdienen.'

Het laatste had ik bewust en met nadruk gezegd. Niet omdat ik dat echt zo voelde, met de jaren was het geld steeds meer bijzaak geworden, maar ik vermoedde dat het voor hem belangrijk was om te horen dat ik het voor geld deed. Net zoals hij.

Opnieuw veranderde hij van onderwerp: 'Ik heb hier vroeger regelmatig ontmoetingen gehad met Mobutu. Dat is inmiddels alweer meer dan tien jaar geleden. Wat vliegt de tijd toch! Een enkele keer logeert zijn oudste zoon hier. Dan ga ik altijd even langs, een soort *courtesy call* zou je kunnen zeggen. Uit beleefdheid, want ik doe geen zaken met hem, maar ook een klein beetje uit nostalgie.'

Toen ik vroeg hoe het was om in Congo zaken te doen, ging hij daar uitgebreid op in. Het was niet gemakkelijk om op een eerlijke manier te opereren en de laatste jaren was het helemaal moeilijk geworden. Wat dat betreft had hij goede herinneringen aan Mobutu. In die tijd was er sprake van een relatieve rust en wist iedereen wel min of meer waar hij aan toe was.

Zo zat hij een tijd te praten, op zijn gemak. Het leek alsof hij de zaak waarvoor ik gekomen was helemaal was vergeten. Ten slotte verontschuldigde hij zich: hij had een andere afspraak.

Pas toen kwam hij alsnog terug op onze zaak. Hij legde zijn hand op die van mij, opnieuw een en al vriendelijkheid: 'Ik zal kijken wat ik voor u kan doen. Het is een smerige zaak en als ik u daarbij kan helpen, dan moet ik dat natuurlijk niet nalaten. Er is echter één ding dat u beiden mij moet beloven. Terwijl hij dat zei, keek hij ook heel uitdrukkelijk Geert Valkeniers aan. 'Mijn naam mag op geen enkele manier worden genoemd. Begrijpt u dat? Alles komt uit anonieme bron. Gebeurt dat toch, dan zal ik alles ontkennen. Dat geldt voor u allebei. Kan ik wat dat betreft op uw medewerking rekenen?'

Zowel Geert Valkeniers als ik liet weten dat we daarmee akkoord gingen.

Hij knikte goedkeurend. 'Prima. Ik zal mijn best doen en als ik meer weet, bel ik u. Verder wens ik u heel veel succes met uw zaak.'

Toen ik vroeg wanneer ik een reactie van hem kon verwachten, antwoordde hij met slechts één woord: 'Snel.'

Hij zei het met de zelfverzekerdheid die uit zijn hele gedrag had gesproken. Het klonk geruststellend.

XXII

Al in de trein op weg naar Amsterdam werd ik gebeld. Ik kreeg Frederik van Rooyen niet zelf aan de lijn, maar een onbekend iemand. Het enige dat hij zei voordat de verbinding werd verbroken, was: 'U zoekt twee mannen: Jean-Luc Verbruggen en Steve Fijnout.' Hij sprak de namen langzaam uit, zodat ik ze niet zou vergeten.

Dat was inderdaad bijzonder snel. Van Rooyen had het al geweten toen we met hem zaten te praten en blijkbaar had ik hem weten te overtuigen.

Op mijn beurt belde ik Jaap Tielemans. Ook dit was geen lang gesprek. Ik kon hem niet vertellen hoe ik aan de informatie was gekomen. Ik gaf hem de namen, met de uitdrukkelijke waarschuwing dat ze zeer gevaarlijk waren en er voorzichtig te werk moest worden gegaan.

Ik had geen idee of die twee mannen nog in Nederland waren of alweer terug in België, maar ik vermoedde het eerste. Ze waren ingehuurd voor een klus en die was nog niet klaar. Ze verkeerden in de veronderstelling dat de politie niets wist en dat ze dus geen gevaar liepen.

Ik was niet van plan om naar huis te gaan en week opnieuw uit naar een hotel. Daar aangekomen kon ik niet veel meer doen dan wachten. Uit ervaring wist ik dat er een apparaat in gang zou worden gezet dat, nu ik zulke concrete aanwijzingen had gegeven, wel snel een spoor zou vinden.

Als Jean-Luc Verbruggen en Steve Fijnout criminelen waren die bij de Belgische politie bekend waren, dan zouden hun dossiers worden gelicht, inclusief foto's, paspoortnummers en tal van andere gegevens die de Nederlandse recherche kon gebruiken bij z'n zoektocht.

Zelf moest ik Leimann bellen, hij had al een tijd niets meer van me gehoord en er was nogal wat gebeurd. Toen ik hem aan de lijn kreeg, begon hij zich direct te beklagen over het feit dat hij nauwelijks wist wat ik allemaal aan het doen was en dat hij daar als opdrachtgever wel recht op had.

Naast de bekende irritatie had ik het idee dat ik in zijn stem een spanning hoorde die daar de vorige keren niet was geweest. Maar ik kon nog steeds het achterste van mijn tong niet laten zien. Ik zei hem dat ik het kort moest houden, dat ik hem de volgende keer uitgebreider zou informeren, dat alles naar wens ging, maar dat ik me wel grote zorgen maakte over één ding: de moord op Peter Fennema.

'Ik denk dat die moord op de een of andere manier verband houdt met de verdwijning van uw dochter en Ernst Jimmink. Ik wil weten of u mij daar verder mee kunt helpen.'

Het was even stil aan de andere kant van de lijn.

'Ik heb me dat natuurlijk ook afgevraagd, het waren immers vrienden, maar ik zie geen verband. Ik denk toch dat beide zaken niets met elkaar te maken hebben. Dat is ook een reële mogelijkheid.'

'Dus u heeft geen idee waarom Peter Fennema is vermoord?'

Leimann reageerde scherp: 'U stelt de vraag op een toon alsof u dat haast niet kunt geloven. Mag ik u eraan herinneren dat ik u heb ingehuurd om een zaak voor mij op te lossen. Mijn dochter en het geld dat is gestolen; die twee terugbrengen is waarvoor ik u heb ingeschakeld. Voor zover ik weet, heeft dat niets te maken met de dood van die jongen. Misschien was het wel een ordinaire roofmoord.'

Nu was het mijn beurt om scherp aan te zetten: 'Hij is gemarteld. Wie dat heeft gedaan wilde informatie van hem hebben. Als er een verband is, dan lopen uw dochter en Ernst Jimmink ook ernstig gevaar. Ik hoop dat u zich dat realiseert. Als u dingen voor mij heeft achtergehouden, wil ik dat nu graag weten.'

'Wat u moet weten heb ik u verteld. Ik begin te twijfelen of ik er wel verstandig aan heb gedaan u in te huren. U komt met niets concreets en insinueert zelfs dat ik zaken voor u achterhoud.'

'Als u er niet over te spreken bent, kunt u te allen tijde onze afspraak beëindigen. U betaalt me voor de kosten die ik heb gemaakt en dan laten we het daarbij. Is dat wat u wilt?'

Hij antwoordde zo beheerst mogelijk, maar zijn ingehouden woede was bijna tastbaar. 'Ik geef u nog twee dagen om met iets concreets te komen. Als u dan nog niets heeft, zal ik me gedwongen zien om dat inderdaad te doen.'

Zonder nog iets te zeggen, hing hij op. Leimann had dan wel de verbinding verbroken, maar ik was nog steeds in zijn dienst, zij het dat onze relatie aan een zijden draadje hing. Dat was voor Leimann een groter probleem dan voor mij, hij was niet voor niets zo geïrriteerd.

Het feit dat ik na dit gesprek nog steeds voor hem werkte, was voor mij het bewijs dat hij wel degelijk wist waarom Peter Fennema was vermoord. Het kon niet anders dan dat die wetenschap zwaar op hem drukte. Hij moest zich nu enorme zorgen maken en ik was zijn enige hoop om zijn dochter en Ernst Jimmink te vinden, voordat anderen dat zouden doen.

Ik voelde iets van achting voor hem: hij hield zichzelf bijzonder goed onder controle voor iemand die de wanhoop nabij moest zijn. Misschien zou ieder ander zijn hart hebben gelucht, maar wat Raw Leimann wist, had hij voor zich gehouden. Hij was nog niet zover dat hij de last die op zijn schouders rustte met anderen wilde delen.

Het leek me een haast onmenselijke inspanning en ik vroeg me af hoe lang het nog zou duren voordat deze man, die zo moeilijk kon buigen, het punt zou bereiken waar het echt buigen of barsten zou zijn. Terwijl hij van 's ochtends vroeg tot 's avonds laat in gedachten met deze zaak bezig was, het zou me niet verbazen als hij ook 's nachts wakker lag, ging het leven om hem heen gewoon door, alsof er niets aan de hand was.

Zo was het ook geweest toen Eileen was gestorven. Mijn leven was ingestort, maar alles om mij heen was doorgegaan alsof er niets was gebeurd. Eenzelfde soort wreedheid ondervond Leimann nu ook aan den lijve.

Wat kon ik nu nog doen? Wachten, wachten en hopen dat het niet te lang zou gaan duren. Hoewel het niet echt noodzakelijk was belde ik het hotel The Barracks in New York. Na een smoes van mijn kant hoorde ik dat Ramona en Ernst daar nog steeds verbleven. Ik had eerlijk gezegd ook niet anders verwacht.

De rest van de dag besteedde ik aan het opnieuw bestuderen van de gegevens die Ernst Jimmink had verzameld. Verder belde ik Nico Opaal met het verzoek na te gaan of Ernst nog bezig was geweest op zijn website, en als dat zo was, wat hij dan had gedaan.

Ik lag op bed en las eindelijk *Heart of Darkness.* Het boek boeide me maar matig, maar ik had bewondering voor Joseph Conrad, die al zo vroeg de misstanden daar aan de kaak had gesteld.

Om mijn gedachten te verzetten, keek ik de hele avond naar Champions League voetbal. Ik had de neiging om Jaap Tielemans te bellen, maar wist dat als hij nieuws had hij direct contact met mij zou opnemen.

Die nacht kon ik de slaap niet vatten. Ik had dat al verwacht en had daarom een paar glazen port gedronken. Toen ik eindelijk in een onrustige roes wegzakte, droomde ik dat ik samen met mijn vader aan het graf van Eileen stond. Eileen die al dood was en mijn vader zo oud dat het niet lang meer kon duren voordat ik ook hem zou begraven. Alles ademde het einde van het leven. Ik leefde, maar dat was tijdelijk. Ik was doordrenkt van dat besef.

Opnieuw werd ik bevangen door het gevoel dat ik ergens op moest antwoorden. Maar op wat dan? De angst en wanhoop grepen me naar de keel toen het me maar niet lukte om antwoord te geven. Ik werd zwetend wakker en op de rand van het bed gezeten zei ik meerdere keren: 'Godverdomme.' In de stilte van de nacht.

Ik stond op om te plassen en dronk een paar glazen water. Ik mocht dan zeer tevreden zijn met het gebruik van Seroxat, er gebeurden nog steeds dingen in mijn geest die zich niet lieten stoppen.

Op het videocircuit van het hotel keek ik naar de film *Gladiator*, om vervolgens toen het al bijna licht was eindelijk in slaap te vallen.

Een voordeel van een duurder hotel was in ieder geval dat het ontbijtbuffet meestal uitstekend was. Vers vruchtensap, müsli, verschillende soorten yoghurt, verse bruine broodjes, goede kaas en sterke koffie. Ik had de afgelopen jaren zoveel geld verdiend dat ik me dit kon veroorloven. Ik was geen zakenman, zoals sommigen van de mensen aan de tafeltjes om mij heen, maar ik was goed in mijn werk en ik bepaalde zelf welke zaken ik aannam.

Dat ik na mijn aanvaring van gisteren met Leimann nog steeds voor hem werkte, was in de eerste plaats mijn eigen keuze geweest, hoewel hijzelf waarschijnlijk in de veronderstelling verkeerde dat het zijn beslissing was geweest.

Ik las op mijn gemak de kranten, die uitweidden over de rechtszaak tegen Marc Dutroux, die net was begonnen. Op de voorpagina stond een foto van Dutroux die zijn gezicht verborg achter een stuk papier, met daarnaast in grote letters: 'Dutroux: ik ben gebruikt.' Hij beweerde zelf eigenlijk ook niet meer te zijn dan een slachtoffer, 'gebruikt door anderen, die weer werden gebruikt door anderen'. Zo voedde hij en maakte tegelijkertijd misbruik van de complottheorie die in België door veel mensen werd geloofd. Hoe kon anders het falen van politie en justitie worden verklaard? Er was een geheim netwerk, waar ook hoge politici en ambtenaren deel van uit zouden maken. Er was geen Belg die geloofde dat bij dit proces de waarheid boven tafel zou komen.

Er werd gerefereerd aan een historisch moment op de Belgische televisie. In 1996 was er een parlementaire onderzoekscommissie ingesteld om duidelijkheid te krijgen over de wijze waarop het onderzoek door politie en gerecht werd uitgevoerd in de zaak-Dutroux, Nihoul en consorten. De voorzitter van die commissie, Marc Verwilghen, had tijdens een van de live uitgezonden ondervragingen een uitspraak gedaan die precies vertolkte wat heel België dacht. Nadat hij met toenemende ergernis de tegenstrijdige verhalen had aangehoord van de onderzoeksrechter Martine Doutrèwe van de Luikse magistratuur en de rijkswachtadjudant Jean Lesage, antwoordde hij geïrriteerd: 'Un de vous ne dit pas la vérité.'

In een van de artikelen werd vermeld dat de vader van Dutroux met zijn gezin zijn geluk had beproefd in Congo. In de jaren zestig, toen het nog een kolonie was. Hij had er niet kunnen aarden en ze waren weer teruggekeerd naar België. Opnieuw stuitte ik zo op Congo.

Nadat ik had ontbeten en alle kranten had gelezen, maakte ik een lange wandeling door de stad. Ik kocht een kaartje voor het Van Gogh Museum en zat lang voor het schilderij *Kraaien boven korenveld*, een van de laatste schilderijen die Van Gogh maakte, vlak voordat hij zich van het leven benam. Boven een veld met koren dat buigt onder de wind ontwikkelt zich een storm. In de donkere, dreigende lucht zweven grote kraaien. Het was een prachtig schilderij.

Ik dronk koffie in het museumcafé en keek uit over een verregend, kaal en somber Museumplein. Het gras was grotendeels veranderd in een modderpoel, deels als gevolg van straatvoetballers die het gras hadden afgetrapt. In de zomer zouden de toeristen weer zitten picknicken op een nieuw ingezaaide grasmat.

De lucht was egaal grijs, als die boven het Egmondpark in Brussel. Misschien zou er deze keer wel sneeuw uit vallen, het was er koud genoeg voor. In dat grote grijze vlak was geen vogel te bekennen, laat staan een kraai.

Plotseling vroeg ik me af waar ik komende zomer zou zijn, op een willekeurige dag, en wat ik zou doen. Ik wist het niet. Meer dan het 'nu' was er niet.

XXIII

Om andere bezoekers van het museum niet te storen, had ik mijn mobiel uitgeschakeld. Toen ik die buiten weer aanzette, werd er direct gebeld. Het was Jaap Tielemans.

'En?' vroeg ik.

'Ja, het is raak. Ze zaten bij jou in de stad, in twee verschillende hotels. De een konden we zo pakken, de ander heeft er een bende van gemaakt. Die is gaan schieten en heeft De Vilder vol geraakt. Een kogel is aan de zijkant door zijn buik gegaan, gelukkig zonder vitale delen te raken. De ander heeft een slagader in zijn dijbeen geraakt, met als gevolg dat hij veel bloed heeft verloren. Hij ligt nu in het ziekenhuis en maakt het verder redelijk. Hij is taai, want hij heeft geen kik gegeven.'

'Wanneer is dat allemaal gebeurd?'

'Nog geen twee uur geleden. Omdat De Vilder in het ziekenhuis ligt, heb ik de leiding gekregen. Kom maar naar het bureau, dan kun je erbij zijn als ik met ze ga praten. Ze zijn vooralsnog niet erg spraakzaam.'

Ik was verbaasd over die uitnodiging. De Vilder zou het nooit hebben toegestaan. Jaap was pragmatischer, maar dan nog.

'Ik kan erbij zijn als je ze gaat ondervragen?'

'Ja, Jager. Ik weet dat het ongebruikelijk is, maar ik heb toestemming. Men weet dat de tip van jou komt en dat je tot nu toe dieper in deze zaak zit dan wij. Schiet nou maar op, voordat de bazen zich bedenken.'

Ik besloot het verder te laten rusten en vroeg: 'Waar zaten ze eigenlijk?'

'Op de Wallen, maar kom nu maar, dan hoor je zo de rest.'

'Prima Jaap, ik ben al onderweg.'

Op het politiebureau keek een enkeling me onderzoekend aan, maar er werd niets gezegd.

Jaap zat achter zijn bureau te lezen. Toen hij mij zag, borg hij die papieren op en legde twee dossiermappen voor me neer. Op de kaften stonden de namen van Jean-Luc Verbruggen en Steve Fijnout.

'Deze informatie hebben we gisteravond uit België gekregen. Die Steve Fijnout is al vaker met justitie in aanraking geweest en hij heeft twee keer voor langere tijd in de gevangenis gezeten. Voor ernstige zaken. Eén keer wegens zware mishandeling, na een ruzie in een café. Zijn slachtoffer zit nog steeds in een rolstoel. De andere keer vanwege deelname aan een bankroof. Daar heeft hij acht jaar voor gekregen. Verder wordt hij met van alles en nog wat in verband gebracht, maar dat heeft niet tot veroordelingen geleid. Toen hij in de gevangenis zat, is zijn vrouw van hem gescheiden en met iemand anders getrouwd. Toen hij uit de gevangenis kwam, is zij aangevallen en is haar gezicht bewerkt met een of ander zuur, met als gevolg dat ze ernstig verminkt is. Fijnout had een keurig alibi. Lekkere jongen. Hij is ook degene die begon te schieten toen we hem wilden oppakken. Categorie zware crimineel, met een vriendenkring die ook uit harde criminelen bestaat.

Die Jean-Luc Verbruggen is een stuk jonger en over hem is minder bekend. Dat er over hem een dossier is komt omdat hij lid is van een extreem-rechtse beweging. Die heeft de politie in kaart gebracht vanwege een hele serie van activiteiten: het in elkaar slaan van buitenlanders, brandstichting in een opvangtehuis voor asielzoekers, dat soort zaken. Zo nu en dan worden ze opgepakt, zitten kortere tijd vast en worden dan weer op straat gezet. Ze zijn één keer in het nieuws geweest, omdat ze een Afrikaan die in Brussel studeerde zo ernstig hadden bedreigd dat hij zelfmoord pleegde. Dat heeft toen voor veel ophef gezorgd. Tuig dus, maar van een andere categorie dan Fijnout, en mijn inschatting is dat we hem eerder aan het praten kunnen krijgen.'

Terwijl Jaap dit vertelde, had ik naar hun foto's gekeken. Ze zagen er onguur uit, maar dat gold zo ongeveer voor iedereen die op die typische politiefoto's werd vastgelegd. Zelfs Michael Jackson zag er op de foto die de politie van hem had gemaakt uit als iemand die je zou kunnen verdenken van seks met minderjarige kinderen. Deze twee had ik in ieder geval nog nooit eerder gezien.

'Kom, we gaan,' zei Jaap.

Voordat we de verhoorkamer binnengingen, legde Jaap zijn hand op mijn arm en hield me tegen.

'Jager, ik heb niets. Je hebt ons deze namen gegeven, maar ik heb geen motief, en als het wapen waarmee op De Vilder is geschoten niet het wapen is waarmee Peter Fennema is vermoord, staan we met lege handen. Dan kan ik die Fijnout alleen pakken voor het neerschieten van De Vilder. Die ander kunnen we in dat geval niet eens vasthouden, laat staan in staat van beschuldiging stellen voor de moord op Peter Fennema. Dat weet je toch?'

Dat had ik me inderdaad al gerealiseerd. Als ze ook maar enigszins professioneel waren, hadden ze zich ontdaan van dat wapen. Om een ander pistool, waarmee nu was geschoten op De Vilder, te gebruiken voor de volgende moord. Als dat klopte, dan was Jaap in feite machteloos. Maar dat gold niet voor mij: ik kende het motief wel, dat was één. En in de tweede plaats was Fijnout gaan schieten. Waarom zou hij dat doen, als we toch niets hadden?

Ik haalde mijn schouders op. 'Laten we eerst maar eens horen wat ze te zeggen hebben. Als ik jou was zou ik ze sowieso gescheiden houden, daar kun je gebruik van maken.'

De verhoorkamer stond blauw van de rook. Steve Fijnout werd geacht zo gevaarlijk te zijn dat ze zijn handboeien om hadden gelaten. Maar niet met zijn armen op zijn rug; zo kon hij dus toch roken. Dat was een privilege dat ik hem niet zou hebben gegund. Ik vroeg me af wie zo stom was geweest om dat wel te doen.

Ik schatte hem zeker een kop kleiner dan ik, maar mijn eerste indruk was dat ik niet graag met hem in de ring zou willen staan. Hij was gespierd en afgetraind en zag eruit als het type dat er genoegen aan zou beleven om elke keer als hij tegen het canvas ging weer overeind te komen. Als een teken van zijn mannelijkheid. Hij zat strak in zijn vel, met grote spierballen, brede schouders en borstkas onder een strak T-shirt. Waarschijnlijk bracht hij veel tijd door in het krachthonk, in ieder geval meer dan in de bibliotheek.

Wat op de foto niet te zien was geweest, was dat hij onder de tatoeages zat. Zijn blote armen waren helemaal bewerkt, tot aan zijn handen. Het zou me niet verbazen als zijn rug en borst er ook zo uitzagen. Daar zouden we nog wel achter komen. Zijn gezicht was net zo hard en strak als zijn lichaam, ik kon er niets zachts of vriendelijks in ontdekken. Zijn kort geknipte haar was zo stug dat het veel weg had van de stekels van een egel.

Hij had een houding alsof het hem niet interesseerde en hij had het allemaal al eerder had meegemaakt. Dat laatste was ongetwijfeld waar.

Jaap was tegenover hem gaan zitten, ik leunde achter hem tegen de muur. Zo kon ik Fijnout goed bekijken. Jaap informeerde hem geroutineerd dat hij werd verdacht van de moord op Peter Fennema, samen met Jean-Luc Verbruggen, die ze inmiddels ook hadden opgepakt. Hij probeerde hem aan het praten te krijgen, maar Fijnout was niet onder de indruk. Toch moest ook hij zich afvragen hoe ze hem en Verbruggen hadden gevonden. Jaap liet er niets over los; hij mocht dan van mij nog niet veel hebben gehoord, hij begreep wel dat daar de kwetsbaarheid van Fijnout lag.

Jaap stelde vragen en Fijnout antwoordde, op zijn gemak. Zo ging het een tijdje heen en weer. Hij ontkende alles. Hij kende zelfs Verbruggen niet. Hij kende Peter Fennema niet en wat zou zijn motief zijn om hem te vermoorden? De schietpartij met de politie was uitgelokt. 'U valt zomaar mijn kamer binnen, met een hoop lawaai en met getrokken wapens. Dan is mijn eerste reactie mezelf te verdedigen. Nee, dat ontken ik niet.' En over het wapen maakte hij zich ook niet druk. 'Dat wapen? Onderzoekt u dat dan maar.'

Fijnout had overal wel een antwoord op. Over waar hij was geweest rond de tijd dat Peter Fennema was vermoord, was hij vaag. Hij was hier op vakantie. Wat gokken en vertier zoeken op de Wallen. Dan dronk hij zoveel dat hij ook niet meer precies kon zeggen wanneer hij wat had gedaan of met wie hij had gesproken. Het was als de eerste ronde van een bokspartij waarin niet veel gebeurde. Wat aftasten, op zoek naar gaten in de verdediging.

Toen ik het enige tijd had aangehoord, nam ik het van Jaap over: 'Mooie tatoeages.'

Voor het eerst keek hij me aan, tot die tijd had hij me volkomen genegeerd.

'Draken, gekruiste zwaarden, doodshoofden met slangen. Macho. Weet je wat ik me al de hele tijd sta af te vragen, terwijl jij onzin uitkraamt? Of de naam van jouw ex-vrouw nog ergens staat, met een hartje of een roosje.' Het kostte me geen moeite om mijn stem zo smalend mogelijk te laten klinken. 'Ik wed van wel. Elke ochtend als je voor de spiegel staat, zie je haar naam, en dat terwijl ze jou allang heeft gedumpt voor een echte man. En nu moet je hier bij ons naar de hoeren.'

Jaap had zich naar me omgedraaid en keek me aan met op-getrokken wenkbrauwen. Maar bij Fijnout had ik een gevoelige snaar geraakt. Hij keek naar me of hij me in elkaar wilde rammen. Toen grijnsde hij: 'Als u de volgende keer in België bent, dan moet u me dat laten weten, dan spreken we wat af.'

Ik boog me voorover.

'Mijn inschatting is dat het nog heel lang gaat duren voordat jij weer terug kunt naar België. We gaan je hier heel lang houden voor de moord op Peter Fennema. Nog veel langer dan die vriend van je, Verbruggen.' Ik deed nog een stap naar voren, zodat we met ons gezicht bijna tegen elkaar kwamen. 'Je voelt je nogal wat, hè, maar je bent een sukkel zonder hersens die zich heeft laten gebruiken. Wij weten dat meneer Verthé jou heeft ingehuurd, Walter Verthé. Maar weet je wat die zegt? Dat hij jou niet kent. Hij trekt nu al zijn handen van je af. Wat hem betreft mag jij wegrotten.'

Ik balde mijn rechterhand tot een vuist en drukte die hard tegen de plek waar zijn hart zat.

'En wie van jullie padvindersclubje komt jou nu redden?'

Hij probeerde snel overeind te komen, maar dat ging moeilijk door zijn geboeide handen. Met een eenvoudige duw bracht ik hem uit balans, zodat hij achteroverviel. Zonder verder nog iets te zeggen, liep ik de kamer uit.

'Wat was dat allemaal?' vroeg Jaap geïrriteerd toen hij naar buiten kwam.

'Dat gezuig over zijn ex-vrouw? Dat kon ik niet laten, daar liet ik me even gaan. Het liefst had ik hem een ram gegeven, maar dit doet hem waarschijnlijk meer pijn. Een macho die door zijn vrouw wordt gedumpt. Voor de rest? Ik denk dat er op zijn hart een bepaalde tatoeage staat. Als dat zo is, moet je die fotograferen, op een zodanige manier dat het voor hem heel duidelijk is dat je daar veel belangstelling voor hebt.' Ik beschreef de tatoeage en voegde eraan toe: 'Hij moet zich nog meer zorgen gaan maken. Laat dat maar wat sudderen.'

Terwijl Jaap met Fijnout aan de slag ging, maakte ik van de gelegenheid gebruik om iets te eten in de kantine van het politiebureau. De ruimte oogde armzalig, als een Hema-restaurant van lang geleden. Omdat het ruim na de lunch was, waren de vitrines bijna leeg en kwam ik niet verder dan twee bananen, een appel en een beker melk. Maar goed, dat vulde en was zelfs nog gezond. Van de volgende echte maaltijd zou ik in ieder geval extra genieten.

Koffie moest uit een automaat komen. Toen ik op de knop 'cappuccino' drukte, viel er een donkerbruin bekertje uit dat werd gevuld met koffie en een soort schuim. In minder dan een minuut was die laag schuim verdwenen en bleef er een beker koffie over die er nog triester uitzag dan een glas bier zonder schuim. Het paste precies bij de omgeving waarin ik me bevond. Op een paar agenten in uniform na was de kantine leeg. Ik ging zo ver bij ze vandaan zitten dat ik hun gesprek niet kon volgen.

Ik hoefde niet lang te wachten voordat Jaap bij me aan tafel kwam zitten. Hij legde een foto voor mij neer. 'Is dit wat je bedoelt?'

Er was geen twijfel mogelijk. Ik knikte.

'En, heeft hij nog iets gezegd?' vroeg ik.

'Nee, maar ik hoop dat je mij nu wilt vertellen wat je weet, want dit is zo wel erg ongemakkelijk.'

Ik vertelde Jaap het hele verhaal en we bespraken vervolgens hoe we deze twee mannen tegen elkaar konden uitspelen. Veel hing af van of we die Verbruggen aan het praten zouden krijgen. Van Fijnout hoefden we niet veel te verwachten. Het vooruitzicht voor langere tijd de gevangenis in te gaan, zou hem waarschijnlijk minder angst aanjagen, die wereld kende hij immers al. Hij had bewezen ook daar te kunnen overleven en het zou me niet verbazen als hij het in de daar heersende hiërarchie goed zou doen.

Toen we opstonden, pakte Jaap uit de binnenzak van zijn

colbert nog een foto en gaf me die, met een grote grijns: 'Ik dacht dat je dit wel wilde weten.'

Het was een foto van de rug van Fijnout. Die was inderdaad ook helemaal bewerkt. Op een van zijn schouderbladen stond een hartje met pijl én de naam van zijn ex-vrouw.

'Jammer dat hij hem niet ziet als hij voor de spiegel staat,' zei ik, voordat ik de foto in de prullenbak gooide.

Fijnout had zich voordat ik met hem sprak nog helemaal geen zorgen gemaakt en zijn houding was dan ook geen pose geweest. Ook Jean-Luc Verbruggen probeerde over te komen alsof hij zich verveelde en het allemaal al eens had meegemaakt, maar we keken er dwars doorheen. Voor hem stond er duidelijk meer op het spel; tot nu toe was hij slechts voor kleinere zaken met de politie in aanraking geweest.

Ook hij was geboeid, maar het eerste dat Jaap deed toen we binnenkwamen was vragen hem de handboeien af te doen. We wilden hem op zijn gemak stellen, als het aan ons lag zouden we vrienden worden. Hij zag er ook niet uit alsof hij ons aan zou vliegen. Van wat ik had gelezen, begreep ik dat het een type was dat meer in groepsverband opereerde.

Verbruggen zag eruit als een grijze muis, slecht gekleed in goedkope confectiekleding: grijze pantalon met te lange pijpen, donkerbruin colbert met te korte mouwen, en een crèmekleurig overhemd met versleten boord. Hij mocht dan Turken in elkaar slaan, qua kleding ontliepen ze elkaar niet veel.

Zijn donkere haar, keurig geknipt en in een scheiding, stak af tegen een te bleke huid. Hij had een mager en hoekig gezicht, dat waarschijnlijk al op jonge leeftijd zou gaan invallen. Alsof het leven eraan knaagde, langzaam op weg naar de schedel die eronder lag. Ook om zijn lippen lag die blik van ontevredenheid, die me direct irriteerde. Wat was er toch met al die mensen aan de hand? Waarover zou hij zich miskend voelen en wie had hem wat misdaan?

Dit keer gingen Jaap en ik samen tegenover hem zitten. Net zoals Fijnout begon hij met alles te ontkennen. Het enige dat hij kwijt wilde, was dat hij hier op vakantie was. Toen ik hem vroeg wat hij allemaal al had gezien, noemde hij een aantal bekende attracties. Het klonk ingestudeerd. En nu zat hij plotseling hier. Peter Fennema kende hij niet, Steve Fijnout kende hij niet.

Hij antwoordde kort op onze vragen, maar ik kreeg het gevoel dat hij zich in moest houden om niet meer te zeggen. Als een vulkaan die op het punt stond om uit te barsten. Op zoek naar een manier om zich te kunnen uiten, met excuses aan te kunnen komen en hardop pratend naar een oplossing, een uitweg, te zoeken. Die wanhoop lag bij hem vlak onder de oppervlakte en was duidelijk zichtbaar in zijn ogen. Maar ook voor hem was er geen eenvoudige uitweg.

Jaap en ik namen de tijd om hem keer op keer op de ernst van het gebeurde te wijzen, zodat hij het gat dat voor hem gaapte alleen maar donkerder en dieper kon zien worden. Een standrechtelijke executie, na eerst het slachtoffer zwaar te hebben mishandeld. Dat was hier in Nederland ongehoord, een ernstiger vergrijp was niet denkbaar en van alle kanten werd er al geroepen dat er hard moest worden ingegrepen.

Daarna vertelde ik hem dat we wisten wat hun opdracht was geweest, wie ze daarvoor had ingehuurd en dat diezelfde opdrachtgever nu zijn handen van ze aftrok. Hij had hooguit gewild dat ze informatie loskregen van Peter Fennema, maar zeker niet dat ze hem zouden vermoorden. We wisten feitelijk alles al, maar wilden van hem nu de bevestiging van wat er precies was gebeurd.

Ik keek hem scherp aan toen ik de naam Verthé noemde, maar uit niets bleek dat hij die kende. Misschien was dat ook wel zo en had alleen Fijnout rechtstreeks met hem te maken gehad. Ik wist zelfs niet eens of dat het geval was, misschien was die wel door een tussenpersoon ingeschakeld. Dat hoopte ik niet, want ik wilde ook Verthé zien bloeden.

Voordat we hem alleen lieten, beet Jaap hem toe dat hoe langer hij zweeg, hoe ernstiger hij de zaak voor zichzelf maakte.

Ik ging daar nog eens overheen: 'Wat denk je dat die maat van je aan het doen is, hier twee deuren verderop? Denk je dat die nog zijn mond houdt? Die heeft al verteld dat jij degene bent die uiteindelijk Fennema heeft vermoord. En weet je waarom? Op die manier zou jij lid van hun Force Publique zijn geworden en jouw tatoeage hebben verdiend.' Ik legde de foto voor hem op tafel. 'Kijk, die bedoel ik. Wel toepasselijk voor de situatie waarin jij je bevindt: de ondergaande zon.'

Toen lieten we hem alleen.

Het wapen waarmee op De Vilder was geschoten bleek inderdaad niet het moordwapen te zijn. Dat was dus verdwenen en ik had niet de illusie dat we het zouden vinden. Als ze allebei hun mond hielden, hadden we een heel zwakke zaak. Jaap en ik besloten ze voorlopig met rust te laten, in de hoop dat de onzekerheid waarin ze verkeerden in ons voordeel zou werken.

Er was nog één ding dat me intrigeerde, en ik vroeg Jaap: 'Weet je wat ik niet begrijp? Wat is precies de band tussen die twee? Het lijkt toch een vreemde combinatie. Kun je dat eens nagaan? Hoe komt een harde crimineel als Fijnout ertoe om samen te werken met zo'n type als Verbruggen, die niet meer doet dan een beetje tegen het criminele circuit aan schuren?'

Jaap zegde toe het uit te zoeken en ik ging naar De Pijp. Eindelijk weer naar mijn eigen huis.

XXIV

De brievenbus zat vol met rekeningen en toen ik binnenkwam was het kil. Ik zette de thermostaat hoger en deed mijn kleren in de wasmachine. Ik bleef er maar kort, want na die portie fruit van het politiebureau had ik zin om uitgebreid te gaan eten.

Ik had Jaap laten weten waar ik was en toen ik na het eten aan de koffie zat, kwam hij me gezelschap houden. Hij keek verre van vrolijk.

'Wat kijk je somber. Je hebt toch geen slecht nieuws?' vroeg ik.

'Nee hoor, maar ik ben bij De Vilder in het ziekenhuis geweest en daar word je niet vrolijk van. Hij heeft van onze afdeling een bos bloemen en een fruitmand gekregen, maar die is volgens mij niet eens persoonlijk bezorgd. Er komt geen hond op bezoek. Volgens mij was ik de eerste, en dat terwijl we elkaar niet liggen. Ik ging eigenlijk meer uit medelijden dan uit medeleven. Juist dat stemt me somber. Ik had het idee dat De Vilder dat ook zo voelde en me dat kwalijk nam. Waarschijnlijk niet eens onterecht. Ik had beter niet kunnen gaan.'

Hij probeerde die sombere gedachten van zich af te schudden en zei met een grijns op zijn gezicht: 'Ik heb hem in ieder geval kunnen vertellen wat de stand van zaken was. Jouw naam heb ik maar niet genoemd, want dan was hij waarschijnlijk weer spontaan gaan bloeden.'

'Heb je nog wat gehoord uit België?' vroeg ik.

'Jazeker. Ik moet zeggen dat mijn Belgische collega's heel erg hun best doen. Als je de verhalen leest over Dutroux of die Bende van Nijvel is het alsof ze alleen maar kunnen blunderen, maar in dit geval heb ik niets aan te merken. Ik had ze net aan de lijn. Fijnout heeft wat met de zus van Verbruggen. Dat is een meisje van negentien, die volgens hen smoorverliefd is op Fijnout. Ze kennen elkaar nog niet zo lang en alles is nog spannend. Hij verwent haar en neemt haar mee naar plaatsen waar ze nog nooit is geweest. Ze schijnt hem het type "ruwe bolster, blanke pit" te vinden.'

'Tot hij haar voor het eerst afrost.'

'Precies, maar dat is niet ons probleem. We kunnen er wel van uitgaan dat Fijnout en Verbruggen elkaar op die manier hebben ontmoet.'

Jaap liet Verbruggen midden in de nacht uit zijn cel halen. Hij zag er beroerd uit en ik vermoedde dat hij niet of nauwelijks had geslapen. Zijn ogen waren bloeddoorlopen en zijn bleke huid hing in het tl-licht van de verhoorkamer als een lijkwade om hem heen. De contouren van zijn gezicht leken nog scherper geworden. In zijn hoofd moest er van alles en nog wat rond malen.

Jaap kwam snel ter zake: 'We weten inmiddels dat het wapen waarmee Fijnout op ons heeft geschoten niet het moordwapen is. Dat bevestigt zijn verhaal dat jij je van dat wapen hebt ontdaan nadat je Fennema hebt vermoord. Helaas weet Fijnout niet waar je dat wapen hebt gedumpt. Ik moet je zeggen dat ik zijn verhaal redelijk plausibel vind. Het is niet logisch dat jij geen en hij twee wapens zou hebben gehad.'

Verbruggen reageerde niet.

'Met alle nieuwe informatie die we krijgen, wordt jouw zaak steeds somberder. Realiseer jij je dat wel?'

Opnieuw zei hij niets.

'We hebben de Belgische recherche gevraagd na te gaan hoe Fijnout aan zijn wapen is gekomen. Dat zijn ze nu aan het uitzoeken. Dat is niet zo moeilijk, want hij verkeert in bepaalde kringen die bij de politie goed bekend zijn. Die Force Publique is een heel select clubje en ze nemen elkaar in bescherming. Ik schat in dat jij daar niet echt deel van uitmaakt. Weet je wat ze straks gaan doen? Om hun vriend Fijnout te helpen, gaan ze de politie vertellen dat hij alleen dat wapen dat wij nu hebben via hen heeft gekocht; en van het wapen dat zoek is, zullen ze zeggen dat ze dat aan jou hebben verkocht. Als het moet, zullen ze bereid zijn tegen jou te getuigen, als dat hun vriend helpt.'

Verbruggen zweeg nog steeds.

Ik haalde mijn schouders op en nam het over van Jaap. 'Verthé, Fijnout en hun vrienden van de Force Publique, ze trekken allemaal hun handen van je af. Jij zwijgt nog, maar zij hebben hun zegje al gedaan.'

We lieten hem terugbrengen naar zijn cel.

'Wanneer wil je verder met hem gaan?' vroeg ik aan Jaap.

'Maar even wachten, lijkt mc,' klonk het berustend. 'Hoe langer hij nu niets van ons hoort, hoe beter het is.'

Ik knikte instemmend, de tijd moest zijn werk doen.

Ik kon me hem niet voorstellen, zittend in de lotushouding, met zijn handen voor zijn borst gevouwen, mediterend en in rustige afwachting van wat zou komen. Verbruggen zou in de stilte van zijn cel steeds onrustiger worden van alles wat er door zijn hoofd spookte. Al die gedachten en niemand om mee te praten. Hopelijk zou het hem uitputten en zou hij niet in staat zijn nog veel langer zijn mond te houden. Met onze vragen en met wat we suggereerden, konden we dat proces bevorderen en speldenprikken uitdelen, maar de echte schade moest hij zelf aanrichten.

De volgende ochtend op het bureau werd ik meteen doorgestuurd. In dezelfde verhoorkamer van gisteren zaten Jaap en Verbruggen opnieuw tegenover elkaar. Ditmaal waren de rollen echter omgedraaid. Jaap stelde zo nu en dan een korte vraag, maar luisterde voornamelijk en had zelfs moeite om de gehaaste, onrustige woordenstroom van Verbruggen te onderbreken.

Die had nog nooit van Verthé gehoord en was door Fijnout gevraagd voor wat een eenvoudig klusje leek. Ze moesten iemand ondervragen. Misschien dat er een klap zou vallen, maar veel meer toch niet. Toen het echter zover was, was het helemaal uit de hand gelopen. Hij vertelde dat toen Fijnout merkte dat Fennema niets wist, hij steeds kwader was geworden. Hij had geprobeerd Fijnout tot rede te brengen, maar die was niet te stoppen geweest. Die was zo opgefokt geraakt dat hij uiteindelijk Fennema had doodgeschoten.

'En het wapen?' vroeg Jaap.

'Dat heeft hij laten verdwijnen, maar niet waar ik bij was.'

Meerdere keren liet Jaap hem opnieuw het hele verhaal vertellen. Door het stellen van onverwachte vragen probeerde hij hem uit balans te brengen, maar Verbruggen was niet te betrappen op inconsistenties. De tijd die hij had gezwegen, had hij in ieder geval goed gebruikt om zijn verhaal te kunnen vertellen. Volgens hem was dat wat Fijnout had gezegd over die tatoeage 'verdienen' onzin. Hij had inderdaad weleens van de Force Publique gehoord, maar dat gold voor meer mensen die zich ophielden in het rechts-extremistische circuit.

Toen Verbruggen terug werd gebracht naar zijn cel klopte ik Jaap op zijn schouder en zei: 'Prima, je hebt nu in ieder geval een zaak. Wel geen wapen, maar zo moet je toch ook een eind kunnen komen. Kom, ik nodig je uit voor een kop koffie. Niet hier bij jullie, want die koffie is niet te drinken.'

Op straat liepen we zwijgend naast elkaar. Ik vermoedde dat Jaap met dezelfde dingen bezig was als ik. Toen we tegenover elkaar zaten, vroeg ik wat hij dacht van het verhaal van Verbruggen.

'Of hij de waarheid spreekt? Ik weet het niet. Hij beweert dat Fijnout het heeft gedaan en het wapen heeft laten verdwijnen. Dus als Fijnout al iets gaat zeggen, dan kun je wel raden wat dat is. Wie van de twee het dan is? Ik heb eerlijk gezegd geen idee. En zelfs als ik dat al had, dan heb ik nog niets om het mee te bewijzen.'

'Maakt dat wat uit?'

'Hoe bedoel je?' Jaap keek me verbaasd aan.

'Verbruggen heeft er net alles aan gedaan om zichzelf vrij te pleiten en de schuld af te schuiven op Fijnout,' zei ik. 'Puur uit lijfsbehoud. Misschien was het inderdaad wel Fijnout, misschien ook niet. Maar uit niets blijkt ook maar enige wroeging of spijt over wat er is gebeurd. Viel je dat niet op? Het kan hem helemaal niets schelen. Hij heeft ook niet wakker gelegen van de dood van die jongen, maar uit angst voor de gevolgen die dat voor hem kan hebben. Wat mij betreft mogen ze allebei even lang krijgen. Dat bedoel ik.'

'Maar wil jij niet, net zoals ik, weten wie van die twee het heeft gedaan?'

'Nee, eigenlijk niet, Jaap. Ik kots ze allebei uit. Ik gun de een geen dag minder dan de ander. En dat komt goed uit, want ik zou ook niet weten wie van die twee Peter Fennema uiteindelijk heeft doodgeschoten. Fijnout heeft nog niet veel gezegd en ik betwijfel of dat veel beter gaat worden. Verbruggen was vooral bezig zichzelf heel doelbewust vrij te pleiten. Hij beschuldigt Fijnout en die kun je hooguit zover krijgen dat hij de schuld bij Verbruggen gaat leggen. Wie spreekt dan de waarheid? Laat de rechter straks maar wikken en wegen. Dat is misschien een probleem voor hem, maar niet voor mij.'

Ik merkte dat Jaap verbaasd was over mijn reactie, maar hij vroeg niet verder. In plaats daarvan bespraken we hoe we Fijnout zouden aanpakken. Op mijn voorstel reageerde Jaap in eerste instantie afhoudend, maar uiteindelijk wist ik hem te overtuigen.

Terug op het politiebureau ging Jaap aan de slag met het vastleggen van de verklaring van Verbruggen, om die vervolgens door hem te laten ondertekenen. Tot zover was het allemaal keurig volgens de regels.

Ik dook uit de dossiers van Verbruggen en Fijnout een brief op van de Belgische recherche, waarvan ik het briefhoofd gebruikte om een fictieve verklaring van Verthé op te stellen. Ik liet Walter Verthé getuigen dat hij Fijnout noch Verbruggen kende en dat hij dus ook niets wist van wat zich had afgespeeld. Mijn taalgebruik baseerde ik op de bewoordingen van de Belgische politie in beide dossiers. In de hoop dat Fijnout nog nooit de handtekening van Verthé had gezien, zette ik onder aan die tekst een stevige krabbel.

Fijnout zag er een stuk beter uit dan Verbruggen. Een nachtje in de cel was voor hem niets nieuws en dat mochten we weten. Toch leek hij nu minder nonchalant en zelfverzekerd. Iets in zijn houding gaf me het gevoel dat hij geïnteresseerder was in ons verhaal dan de vorige keer. Het was zo'n subtiele verandering dat ik niet kon zeggen waaruit die bestond, maar het was onmiskenbaar.

Jaap nam het woord. Net zoals gisteren bleef ik tegen de muur staan. Had ik gisteren nog een neutrale blik gehad, nu probeerde ik zo tevreden mogelijk over te komen. Alsof we goed nieuws hadden, goed nieuws voor ons.

Jaap legde de papieren voor hem neer.

'Dit zijn de verklaringen van Jean-Luc Verbruggen en Walter Verthé. Neem alle tijd om ze goed te lezen.'

Hij zat enige tijd geconcentreerd voorovergebogen te lezen. Het leek hem inspanning te kosten, zo nu en dan vormden zijn lippen een woord, en ik begon me af te vragen of hij wellicht een of andere leeshandicap had.

Toen hij weer opkeek, was het mijn beurt: 'En, beweer je nog steeds dat je Jean-Luc Verbruggen niet kent? Je krijgt overigens de groeten van zijn zus. Die schijnt zo ongeveer de enige te zijn die je mist. Dat zal met de jaren wel minder worden.'

Jaap nam het over: 'Je zaak rammelt aan alle kanten. We kunnen op een aantal manieren aantonen dat je Verbruggen wel degelijk kent en hij heeft nu zelfs een voor jou zeer belastende verklaring afgelegd. Jouw zwijgen maakt zijn versie van wat er is gebeurd alleen maar sterker.'

Ik vervolgde: 'We weten dat jullie het samen hebben gedaan. Wat mij betreft is Verbruggen net zo schuldig. Maar als je blijft zwijgen dan zal de rechter jou zeker zwaarder straffen. En nog iets: Verthé heeft de opdracht gegeven. Maar zolang jij zwijgt, gaat hij vrijuit. Ik begrijp jouw reactie niet. Nadat ze je op de ene wang hebben geslagen, keer je hun nu de andere toe?'

Misschien had hij tijd nodig om te overdenken wat er was gezegd, want hij bleef zwijgen. Hij liet zich geen spontane reactie ontlokken.

Jaap haalde zijn schouders op en pakte de cassetterecorder van tafel. 'Als dit je verklaring is, dan is wat mij betreft de zaak gesloten. Je gaat nu verder het justitiële apparaat in. Het volgende dat je kunt verwachten is dat je officieel in beschuldiging zult worden gesteld van moord.'

Ik liep achter Jaap aan de kamer uit, maar keerde me in de deuropening om voor een laatste poging.

'Als er bloemen voor je worden bezorgd, komen die ongetwijfeld van Verthé,' zei ik en trok de deur achter me dicht.

Als Fijnout zou getuigen dat Verthé hem had ingehuurd, zou dat hem niet of nauwelijks helpen; hij had de opdracht nu eenmaal aanvaard. Ik hoopte echter dat hij zo veel mogelijk mensen in zijn val mee zou willen nemen. Hij zou hooguit verklaren dat Verthé hem had ingehuurd om iemand op te sporen. Niet om die persoon uit de weg te ruimen, dat zou hem immers tot huurmoordenaar hebben gemaakt. En die moord kon hij Verbruggen in de schoenen schuiven, net zoals dat omgekeerd gebeurde.

Als we alleen maar dat hadden: Fijnout die getuigde dat Verthé hem had ingehuurd, was ik al tevreden. Geert Valkeniers kon hem dan in ieder geval als mogelijke betrokkene bij deze zaak noemen. De pers zou aandacht aan hem gaan besteden, omdat hij genoemd werd door een van de hoofdverdachten van een moordzaak.

Mijn inschatting was dat hij vroeg of laat zou gaan praten. Dat Verthé ontkende hem te kennen zou Fijnout wel begrijpen; dat zou hij in zijn geval ook hebben gedaan. Maar nu het er zo slecht voor stond voor hemzelf, waarom zou Verthé dan ook niet een deel van de last dragen? Dat Fijnout een rancuneus iemand was, bleek uit de wijze waarop zijn ex-vrouw was verminkt.

Hij moest inmiddels wel het gevoel hebben dat iedereen hem vroeg of laat liet vallen. En nee, hij was geen Jezus, die na op de ene wang te zijn geslagen de andere toekeerde. Wie hem belaagde kon rekenen op een doodschop.

Die avond zat ik lang aan de keukentafel. Toen ik de kamer binnenkwam, was het al schemerig en nu zat ik in het donker. Alleen boven het aanrecht brandde een lampje. Ik had eenvoudig gegeten, de boel afgewassen en koffie gezet. Ik rookte op mijn gemak een sigaret en keek uit op de straat beneden mij.

Ik zat hier vroeger vaak, wachtend op Eileen. Dan kwam ze de hoek om, stak de straat over en opende onze benedendeur. Vervolgens liep ze met haar snelle tred de trappen op naar boven.

Toen ze net was overleden, kon ik niet meer op dezelfde plek zitten. Ik was bang dat ik het niet kon verdragen, dat beeld van die straathoek waar ze nooit meer zou verschijnen. Maar ik had ook geen rust als ik ergens anders ging zitten. Wat als ik plotseling een sleutel in het slot zou horen of de bel zou gaan? De stilte in huis was niet te verdragen en toch kon ik haar niet ontvluchten. De straat op te gaan om daarna weer in dat stille huis terug te keren, leek me een nog erger vooruitzicht.

Ik luisterde naar het brommende geluid van de ijskast die af- en aansloeg, naar het tikken van de klok aan de muur in de keuken, naar het getik van de verwarming als de thermostaat was aangeslagen en er weer warm water door de buizen stroomde. Ik zat bewegingloos en luisterde urenlang naar die geluiden. Soms viel ik in mijn stoel in slaap, of op de bank, om de volgende ochtend door het gefluit van vogels te worden gewekt.

Vogels die begonnen te fluiten, vlak voor het eerste ochtendgloren, met al hun kracht. Ze zongen zo prachtig dat op die momenten het besef dat Eileen er nooit meer zou zijn zo ondraaglijk was dat ik dacht gek te worden.

Mijn gedachten werden onderbroken door het korte gepiep van mijn faxapparaat. Er kwam een bericht met de verklaring van Fijnout. Hij gaf daarin aan dat hij en Jean-Luc Verbruggen waren ingehuurd door Walter Verthé om informatie te achterhalen. Verthé had benadrukt dat het erg belangrijk was en dat ze konden rekenen op een forse premie als ze zouden slagen. Dat was alles, het leek niet ingewikkeld en het was al helemaal niet strafbaar. Dat het uiteindelijk tot moord had geleid, was volledig op het conto te schrijven van Verbruggen. Die was door het lint gegaan, volgens Fijnout uit woede en frustratie over het mislopen van de premie. Die was ook degene die zich had ontdaan van het wapen, zonder dat Fijnout wist waar.

Ik las het nog een keer en belde Jaap om hem te feliciteren.

'Dank je,' zei hij. 'De Vilder zal wel proberen de eer naar zich toe te trekken, maar jij en ik weten wel aan wie het te danken is. Dus hierbij bedankt, Jager. Ik schaam me om het te vragen, maar ga je ons ook helpen bij het vinden van de moordenaar van die Kabarebe? Die zaak staat nog gewoon open.'

Die vraag had ik wel verwacht.

'Nee, dat laat ik helemaal aan jullie over.'

'Omdat je net zoveel weet als wij?'

'Ik beschik over dezelfde feiten, de rest is vermoeden.'

'En die wil je niet met mij delen?'

'Nee, Jaap, in dit geval niet. Heb het er maar niet meer over. Ik belde je niet alleen om je te feliciteren, maar ook om het adres van Walter Verthé te vragen.'

Het was even stil aan de andere kant. 'En als ik je dat niet geef?'

'Kom op, Jaap. Dan kom ik er zelf wel achter, dat duurt alleen langer.'

'Wacht even, dan zoek ik het voor je op.'

Na een tijdje kwam Jaap terug met de gevraagde informatie. 'Ik begrijp dat je hem gaat opzoeken?'

'Ja, dat klopt.'

'Is dat wel een goed idee? Wij gaan hem natuurlijk ook nog ondervragen.'

'Deze keer zal ik daar wel niet bij zijn. Ik neem aan dat je dat gaat doen met jouw Belgische collega's en dan is er voor mij geen plaats aan de tafel. Overigens verwacht ik daar niets van. Hij zal zich wel laten bijstaan door een dure advocaat en het eindresultaat zal zijn dat hij vrijuit gaat. Of zie jij dat anders?'

'Nee, maar wat kun jij daaraan veranderen?'

'Niets, maar ik heb een boodschap voor hem die ik graag persoonlijk wil overbrengen.'

XXV

Walter Verthé woonde in een van die buitenwijken van Brussel waar ook Mobutu en zijn kliek onroerend goed hadden gekocht. Aan een laan van prachtige oude platanen lagen, verscholen in de bossen, imposante villa's. Stuk voor stuk op grote percelen grond, die werden begrensd door hoge hekken in allerlei soorten. Het hek van Verthé was niet voorzien van prikkeldraad of camera's, als ik naar binnen had gewild zou dat niet moeilijk zijn geweest. Om zijn veiligheid maakte hij zich blijkbaar geen ernstige zorgen. Ik had deze keer een auto gehuurd, want ik had geen zin om misschien urenlang in de kou te moeten wachten. Ik was er al 's ochtends vroeg gaan staan en had geluk.

Ik wachtte nog geen uur toen het hek openging en een donkergroene BMW langzaam de weg op draaide. Traag genoeg om mij de tijd te geven mijn verrekijker te grijpen die voor me lag op het dashboard. De bestuurder was een man van middelbare leeftijd, met bril, donker haar en zo lang dat zijn hoofd bijna het plafond van zijn auto raakte. Of het Verthé was, wist ik niet zeker, maar ik reed in ieder geval niet achter zijn vrouw aan.

Hij reed op zijn gemak naar het centrum van de stad, om daar in de parkeergarage onder een kantorencomplex te verdwijnen. Het was geen besloten parkeergarage en nadat ik op de knop van de automaat had gedrukt, kwam er een kaartje uit en ging de slagboom omhoog. Ik ging langzaam van verdieping naar verdieping, net zolang totdat ik zijn auto had gevonden. Ik parkeerde mijn auto zo dicht mogelijk bij die van hem. Ik nam de lift naar de centrale hal en keek op de naambordjes van de tientallen bedrijven die er waren gevestigd. Groupe Verthé hield kantoor op de zestiende verdieping. Toen ik dat wist, ging ik door de gewone uitgang de straat op.

Walter Verthé zat op kantoor en ik nam aan dat hij daar voorlopig wel zou blijven. Ik had behoefte aan een goede kop koffie en iets te eten. Daarna zou ik in mijn auto op hem wachten.

In de buurt vond ik een lunchroom waar ik rustig ontbeet.

Terug in mijn auto maakte ik het me zo gemakkelijk mogelijk. Na enkele uren geduldig wachten probeerde ik iets nieuws dat uit Japan was overgewaaid. In een blikje zat een kant-en-klare kop koffie die na schudden en verwijdering van het deksel zichzelf verhitte. Het principe scheen gebaseerd te zijn op technologie die door het Amerikaanse leger was ontwikkeld, om overal en altijd een warme maaltijd te kunnen bieden. De koffie was inderdaad warm, heet zelfs, maar daarmee was alles wel gezegd. Het was zo'n slap brouwsel dat ik het na één slok wegzette. Ik had er een vieze smaak in mijn mond aan overgehouden, maar vreemd genoeg was het aroma prima. Het bleef in ieder geval lang in de auto hangen.

Ik had me erop ingesteld de hele dag te moeten wachten, maar rond het middaguur zag ik de man die ik voor Verthé hield aan komen lopen. Hij was inderdaad lang, maar nu pas kon ik zien dat hij ook een krachtige bouw had. Hij was blijkbaar in een goed humeur, want hij floot een of ander wijsje. Het geluid weerkaatste tegen de kale betonnen muren en was het enige dat te horen was. Op hem en mij na was er niemand in de parkeergarage. De situatie was perfect voor een goed gesprek.

Op het moment dat hij zijn sleutel in het autoportier stak, sprak ik hem aan: 'Meneer Verthé?'

Zonder iets te zeggen draaide hij zich naar me om. Hij keek me argwanend aan en nam me snel op. Ik stond op een paar meter afstand, met mijn handen naast mijn lichaam en in mijn linkerhand een envelop.

Pas toen hij een inschatting had gemaakt van de situatie en het mogelijke gevaar antwoordde hij: 'Ja?'

'Mijn naam is Jager Havix.'

Er verscheen een glimlach op zijn gezicht; hij had zijn goede humeur nog niet verloren. Hij keek even om zich heen om zich ervan te vergewissen dat we alleen waren.

'Dus u bent Jager Havix. Wat kan ik voor u doen?'

'Ik heb een boodschap voor u die ik u persoonlijk wil bezorgen.' Ik hief mijn arm op met de envelop en liet die voor zijn voeten vallen.

'Dit is de verklaring van Steve Fijnout, waarin hij aangeeft door u te zijn ingehuurd. Hij en Jean-Luc Verbruggen zijn in Amsterdam opgepakt en in staat van beschuldiging gesteld voor de moord op Peter Fennema. Ze hebben bekend en Fijnout wijst u aan als opdrachtgever.'

Hij was niet onder de indruk, maar iets van zijn goede humeur was verdwenen. Al was het misschien geen slecht nieuws, goed nieuws was het zeker niet. Zijn stem klonk al scherper toen hij me antwoordde: 'Allemaal onzin. Ik ken die mensen niet. U had zich dit bezoek kunnen besparen en het beter per post kunnen opsturen.' Hij keerde zich alweer om, zonder zelfs de moeite te nemen de brief op te rapen, en stond op het punt zijn portier te openen.

'Ik heb nog een boodschap voor u.'

Geïrriteerd draaide hij zich opnieuw om. 'Komt u ter zake. Wat wilt u?'

'Ik heb datgene waarvoor u die twee mannen op pad heeft gestuurd gevonden.'

Ik had nu zijn volledige aandacht.

Zijn gezicht stond even strak, maar ontspande toen weer. 'En nu wilt u dat ik u voor die informatie betaal?' Er klonk minachting in zijn stem.

Ik liet even een stilte vallen om vervolgens te antwoorden: 'Nee.'

Hij trok zijn wenkbrauwen op in verbazing, maar zei niets, in afwachting van wat ik nog te zeggen had.

'Ik ben hier gekomen om u persoonlijk te vertellen dat ik u aan de schandpaal ga nagelen. De informatie die ik heb, ga ik publiekelijk bekendmaken. Als ik met u klaar ben, is de Groupe Verthé niet langer welkom in Congo en hopelijk ook niet in veel andere landen. Tegen die tijd associeert iedereen de naam Verthé met smerige praktijken en moord.' Ik wees naar de envelop die op de grond lag. 'Ik zal er alles aan doen om uw reputatie te beschadigen. Ook hier in België zullen de mensen wel denken dat waar rook is, ook vuur moet zijn.' Ik draaide me om en liep weg.

Ik had nog geen twee passen gezet toen Verthé achter me aan kwam. Ik had een reactie verwacht, maar niet dat hij zo snel zou zijn. Hij probeerde me op mijn achterhoofd te stompen, maar dat lukte maar gedeeltelijk. Toch kwam de klap hard aan. Er schoot een felle pijnscheut door mijn hoofd en ik viel zijdelings tegen een geparkeerde auto. Met zijn zegelring had hij mijn huid opengehaald en ik voelde dat er bloed in mijn nek liep.

Hij stond wijdbeens voor me en met een van woede vertrokken gezicht haalde hij uit voor de volgende klap. Met mijn linkerarm weerde ik hem af, om met mijn rechterarm vol uit te halen. Ik raakte zijn kaak met volle kracht en hoorde die kraken. Hij schreeuwde van pijn en woede en deed opnieuw een poging om mij te raken, maar veel van zijn kracht was al weg. Ik kon hem eenvoudig ontwijken, en gebruik makend van zijn eigen snelheid ramde ik hem vol tegen de zijkant van dezelfde auto waar ik net tegenaan was gevallen. De klap was zo hard dat er een scheur door het glas trok. Bewusteloos gleed hij naar beneden, om half zittend op de grond, half hangend tegen het portier tot rust te komen.

Opnieuw had ik harder geslagen dan noodzakelijk was, maar deze keer had ik er absoluut geen spijt van.

Het bloeden in mijn nek had ik eenvoudig kunnen stoppen, maar de klap die Verthé had gegeven was zo hard aangekomen dat ik scheel zag van de hoofdpijn, en vreesde voor een hersenschudding. Ik had grote moeite met rijden en stopte bij het eerste benzinestation langs de snelweg. In de toiletten hield ik mijn hoofd en nek lang onder de koude kraan, maar het hielp niet veel. Ik was te beroerd om verder te rijden. Ik zette mijn auto bij een picknickplaats, draaide de stoelleuning zo horizontaal mogelijk en sloot mijn ogen. Het was gaan regenen en de druppels roffelden op het dak. Het was zo koud dat ik de motor liet lopen om de cabine te kunnen verwarmen. Ik concentreerde me op mijn ademhaling in de hoop de pijn onder controle te krijgen.

Toen ik ruim twee uur later wakker werd, was de regen opgehouden, maar de motor liep nog steeds. Ik voelde me een stuk beter en kocht in de winkel van het benzinestation een grote fles water en een stevig broodje gezond. Aan een picknicktafel gezeten, luisterde ik naar het geluid van voorbij razende auto's over een nat wegdek. Het moest wel zo ongeveer het meest trieste geluid zijn dat de mens, onbedoeld, had gecreëerd.

Toen ik mijn broodje op had, liep ik opnieuw naar het benzinestation, op zoek naar koffie.

XXVI

Van de sneeuw die zo kortgeleden New York nog had bedekt, was niets meer te bekennen. Het was een koude dag, met een zon die scherp stond afgetekend in een strakblauwe hemel. Ik was vanaf het vliegveld meteen naar The Barracks gegaan, zonder eerst in te checken in een hotel, want ik was van plan dezelfde dag terug te vliegen.

Volgens de receptionist waren ze op hun kamer. Op mijn verzoek belde hij hun nummer en gaf me de hoorn. Nadat de telefoon een paar keer was overgegaan, werd er met een vragend 'yes?' opgenomen.

'Ernst Jimmink? Mijn naam is Jager Havix. Je weet wie ik ben, jouw moeder heeft mijn naam genoemd. Ik sta beneden bij de receptie, we moeten praten. Weglopen heeft geen enkele zin, dus kom naar beneden. Allebei.'

Het was even stil aan de andere kant. Ik nam aan dat hij zijn hand over de hoorn had gelegd, want ik kon alleen maar heel vaag horen dat er werd gesproken. Met uitzondering van een gedempt 'verdomme' van Ramona kon ik verder niets verstaan. Ze hadden alles zo goed gepland en nu stond ik toch voor de deur. Toen kreeg ik Ernst weer aan de lijn: 'Even geduld, we komen zo.'

Minder dan tien minuten later kwamen ze naast elkaar uit de lift. Ernst had ik al eerder gezien, maar het was voor het eerst dat ik Ramona in levenden lijve zag. Ze was iets kleiner dan Ernst, maar het scheelde nauwelijks. Ze was slank en gespierd, een mooi strak lichaam, en zo vrouwelijk dat ik moeite had om te geloven dat ze pas zeventien was. Ze droeg een eenvoudig wit shirt met V-hals en korte mouwen, dat precies aansloot op een spijkerbroek die laag op haar heupen hing. Een lichte beweging en haar buik zou te zien zijn, het opheffen van een arm was al voldoende.

Haar gezicht was precies zoals ik me dat van de foto herinnerde: fijngebouwd, met opvallende jukbeenderen die Slavisch bloed deden vermoeden. Misschien ging dat wel terug op de overgrootvader van haar vader, die ergens uit Midden-Europa was gekomen. Opnieuw viel me op dat ze iets jongensachtig in haar gezicht had, maar het leek haar juist nog vrouwelijker en mooier te maken. Geen sieraden, geen piercings en naar ik vermoedde ook geen tatoeages. Ze had te veel stijl om aan de puurheid van haar lichaam te rommelen.

Nu ik voor haar stond, zag ik waarom Ernst van haar onder de indruk was. Wat ik echter niet begreep, was waarom hij volgens zijn oudtante niet haar gelijke was. Misschien had ze nog meer in huis en zou me straks duidelijk worden waarom ze Ernst aan een touwtje had.

In dat knappe gezicht was er maar één ding dat niet perfect was: de harde trek om haar mond. Hardheid, ontevredenheid; het paste niet bij een meisje van zeventien. Normaal gesproken verzamelden zich daar pas na vele jaren leed en teleurstelling, maar bij haar was het vroeg gekomen. Te vroeg leek me, en het wekte mijn ergernis op. Ik verlangde er bijna naar om haar te zien lachen. Waarschijnlijk zou dan pas de echte schoonheid van dat gezicht te voorschijn komen. Zouden haar ouders moeite hebben gedaan en tegen haar hebben geroepen: 'Kind, lach eens, kijk eens wat vrolijker'?

Ik had helemaal geen zin om ergens met ze naartoe te gaan. We gingen in de lobby zitten, naast een batterij automaten met allerlei soorten frisdranken en snacks.

Ernst leek nog het meest geschrokken van de twee. Hij keek bezorgd en was zichtbaar uit zijn doen. Bij Ramona kon ik hooguit een afwachtende houding bespeuren.

Toen we tegenover elkaar zaten, stak ik direct van wal. Ik zou ook niet hebben geweten met wat voor smalltalk ik dit gesprek had moeten beginnen.

'Zoals jullie weten ben ik door meneer Leimann ingehuurd om jullie te vinden. Dat heeft nogal wat voeten in de aarde gehad, maar nu ben ik hier. Ik weet inmiddels ook van de fraude die jij op het spoor bent gekomen, Ernst. Ik heb zelfs jouw website bezocht. Ik heb de afgelopen tijd een hoop over Congo geleerd. Zeer de moeite waard.'

Ze zwegen, in afwachting van wat ik verder nog had te vertellen. Het zou een schok voor ze worden, voor allebei.

Ik richtte me tot Ramona: 'Was het jouw idee om die meneer Kabarebe van Gécamines te chanteren?'

Ik wist het antwoord al, maar ik wilde het haar horen zeggen. We keken elkaar strak aan, het was alsof Ernst er helemaal niet was. Ze bleef opmerkelijk rustig en van enige schaamte naar Ernst toe was niets te merken. Ze deed geen enkele moeite om zich te verontschuldigen toen ze begon te praten. Het was de eerste keer dat ik haar stem hoorde en ik realiseerde me dat die precies paste bij haar mond. De klank was hard en scherp en ze sprak met minachting. Het verraste me nog meer dan die ontevreden trek op haar gezicht.

'Wat denkt u zelf? Ernst is daar veel te eerlijk voor. Hij wilde wat hij had ontdekt naar buiten brengen. Naar die onderzoekscommissie van de VN, om die dan verder het werk te laten doen. Ik vond dat niet genoeg. Waarom zouden we ook niet proberen om van die man iets terug te halen van wat hij had gestolen? Wat ben je volgens u als je van een dief een deel van wat hij heeft gestolen vraagt?' Ze zei dat laatste op een uitdagende toon, alsof ik maar moest bewijzen dat ze ongelijk had.

Ik antwoordde niet meteen, maar liet haar vraag in de lucht hangen. Terwijl ik haar aan bleef kijken, liet ik de stilte voortduren. Het leek haar niet veel te doen, tot hier dacht ze het waarschijnlijk ook nog wel aan Ernst te kunnen uitleggen. Ze was nog steeds in balans. Onwetend van wat er ging komen.

'Wat je dan bent? Nou, in mijn ogen ben je in ieder geval verantwoordelijk voor de moord op Peter Fennema. Je zult er niet voor worden veroordeeld, maar je bent er wel schuldig aan.'

Nu was er wel een reactie. De nonchalante pose, het hele achteloze in haar houding was plotseling verdwenen. Ze keek niet langer naar mij, maar had haar gezicht naar Ernst gekeerd. Ze wist niet wat te zeggen, maar begreep instinctief dat het Ernst was die ze een verklaring schuldig was.

Ernst was volkomen bleek geworden, keek haar aan en richtte toen zijn blik weer op mij. Op zoek naar een verklaring.

Ik had het hierbij kunnen laten, maar ik kon mijn bitterheid niet langer beheersen.

'Weet je wat mij in dit geval niet loslaat? Ik heb Peter Fennema ontmoet en ik ben ervan overtuigd dat hij niets wist. Hij is voor niets vermoord, want er was bij hem geen informatie te halen. Hij is helemaal voor niets gestorven. Totaal zinloos.'

Ik keek naar Ernst, die nog niet had kunnen verwerken wat er was gezegd.

'Jouw vriendin heeft die meneer Kabarebe willen chanteren. Hoe weet ik niet, dat doet er ook niet meer toe, maar wat een gebrek aan mensenkennis! Kabarebe heeft waarschijnlijk al direct nadat ze dat heeft geprobeerd contact opgenomen met een zekere Walter Verthé. Dat is een Belg, een zakenpartner van hem, met contacten in de onderwereld. Die heeft twee huurmoordenaars aan het werk gezet. Die zijn inmiddels gepakt, maar jouw vriend heeft het met de dood moeten bekopen. Het is allemaal voorbij, hoor je me?'

Hij keek nog steeds wezenloos, maar hij had wel degelijk gehoord wat ik zei. Ik herhaalde wat er was gebeurd, ik sprak rustig en nam de tijd om het hele verhaal te vertellen. Als ik klaar was, moesten al de vragen die er nu door hun hoofd spookten zijn beantwoord.

Ik had me al die tijd geconcentreerd op Ernst, hij moest het begrijpen en wel zo goed dat hij zou doen wat ik nu van hem ging vragen.

'Luister heel goed naar me, Ernst. Er is nog één ding dat je moet doen. Je moet wat je weet over die fraude bekendmaken. Dan is jouw vriend in ieder geval niet voor niets gestorven.'

Nog langzamer en met nadruk herhaalde ik wat ik had gezegd: 'Wat je weet, moet je zo snel mogelijk bekendmaken. Al die informatie die je hebt verzameld moet naar buiten worden gebracht. Ik wil dat je dat doet door contact op te nemen met een Belgische journalist. Misschien heb je weleens van hem gehoord: Geert Valkeniers. Dat kun je gerust doen, die man wordt ook aanbevolen door professor Braeckman.' Ik overhandigde hem een kaartje met daarop Valkeniers telefoonnummer. 'Hier heb je zijn nummer. Ik neem aan dat je ook contact wilt opnemen met die onderzoekscommissie van de VN, maar ik heb een afspraak dat Valkeniers de primeur krijgt. Hij kan je wel vertellen waarom. Begrijp je dat?'

'Ja, dat begrijp ik.'

Het klonk mechanisch, alsof het nog niet tot hem was doorgedrongen. Maar ik maakte me daar niet veel zorgen over. Hij zou doen wat ik hem had gezegd.

En verder? Zijn wereld was overhoopgehaald. Zijn vriend was dood en niet alleen dat: hij had gehoord dat zijn vriendin Ramona daar schuldig aan was. Hoe moest hij nu verder met haar? Of ze wel of niet bij elkaar zouden blijven, interesseerde me niet. Het leek me voor hem beter van niet, maar wie begrijpt verlangen? Misschien zou hij deze kelk wel helemaal willen leegdrinken. Tot het bittere einde. Misschien zou hij het niet willen, maar niet anders kunnen. Maar één ding zou hij wel doen: bekendmaken wat die fraude precies inhield. Dat was misschien wel het enige dat hij echt onder controle had.

'Nog één ding, Ernst. Het geld dat jullie hebben gestolen moet terug. Tot dat is gebeurd, ben je niet alleen een ordinaire dief, maar zal alles wat je wilt vertellen in twijfel worden getrokken.'

Ik stond op. Ik was hier klaar en wilde naar huis. Ernst bleef zitten, maar Ramona kwam ook overeind. Met Ernst zou ze straks praten, over de dood van Peter Fennema en over het geld. Ik vroeg me af, nu er toch niets meer aan zijn dood te doen was, wat haar meer interesseerde.

Maar er was iets dat ze mij nog wilde vragen. Ze was hard, net zo hard als haar vader.

'Gaat u mijn vader vertellen waar ik ben?'

Die vraag had ik verwacht. Was het beter dat de vader naar de dochter ging? Of juist andersom: de dochter naar de vader? Leimann had haar vergeleken met een wild paard dat moest worden getemd: 'Laat het touw vieren, om het dan weer langzaam naar je toe te halen.' Leimann hield van zijn dochter en wilde haar niet verliezen. Ik kende hem nauwelijks, maar ik geloofde wel dat wat dat betreft zijn motieven zuiver waren. Maar hield zij van hem? Er was maar één manier om daarachter te komen.

'Nee,' antwoordde ik.

Misschien verwachtte ze een verklaring, maar ik draaide me om en liep weg, zonder nog om te kijken.

XXVII

Ditmaal was het Leimann zelf die me stond op te wachten. De bewaker liet me, zonder me te fouilleren, passeren en Leimann ging me voor naar boven. Iedereen leek al naar huis en alleen op de gang brandde nog licht, maar toen we langs de dealingroom kwamen, zag ik dat daar nog steeds mensen bezig waren.

'Gaat dat vierentwintig uur per dag door?' vroeg ik.

'Nee, dat niet, maar er zitten hier altijd mensen tot een uur of negen 's avonds. Om te kijken hoe de beurzen in Amerika zich ontwikkelen. Als dat nodig mocht zijn, kunnen we orders meegeven aan een kantoor van ons daar. Afhankelijk van prijsbewegingen worden die orders dan wel of niet uitgevoerd.'

Bij zijn kamer aangekomen, nodigde hij me uit om in de zithoek plaats te nemen. De vorige keer dat ik hier was, bood dat grote raam boven zijn bureau uitzicht op de hemel, waarin wolken snel voorbijtrokken, nu was het enkel een groot donker gat.

Leimann ging schuin tegenover me zitten en keek me afwachtend aan. Het was duidelijk dat ik meteen ter zake kon komen.

'Ik heb inmiddels een redelijk compleet beeld van wat er allemaal is gebeurd,' zei ik. 'Ik zal u de details besparen, maar uw werknemer Ernst Jimmink was op het spoor gekomen van een grootschalige fraude waarbij Gécamines en uw bedrijf zijn betrokken. U weet dat, ik weet dat. Kabarebe werd daarmee gechanteerd, of misschien moet ik zeggen dat men dat heeft geprobeerd. Kabarebe was namelijk helemaal niet van plan om zich dat te laten welgevallen. Dat paste waarschijnlijk niet bij zijn aard en bij de brute manier waarop hij gewend was zaken te doen. Die poging daartoe was een enorme inschattingsfout met fatale gevolgen. Kabarebe heeft toen dat gebeurde een zakenrelatie van hem in België ingeschakeld om Ernst Jimmink en uw dochter te vinden. De naam Walter Verthé zal u bekend zijn. Die Verthé heeft vervolgens twee huurmoordenaars ingeschakeld, die tijdens hun zoektocht op Peter Fennema zijn gestuit. Nadat ze hem hadden uitgehoord, tevergeefs, hebben ze hem vermoord. Die twee mannen zijn inmiddels opgepakt en een van hen heeft toegegeven inderdaad door Verthé te zijn ingehuurd. Volgens hem slechts met de opdracht om ze op te sporen, maar ik heb er geen enkele twijfel over dat ze ook Ernst en Ramona zouden hebben vermoord als ze die zouden hebben gevonden. Gelukkig is het zover niet gekomen.'

Ik zweeg, in afwachting van een reactie van Leimann. Al die tijd had hij me aangekeken zonder ook maar een spier op zijn gezicht te vertrekken. Het was onmogelijk om te raden wat zich achter dat masker afspeelde. Hij zat kaarsrecht en nam slechts zo nu en dan een slok van het glas water dat voor hem stond.

'Fraude, en nog wel grootschalig, dat staat centraal in uw hele verhaal. Van Gécamines en ons bedrijf. Om wat voor fraude ging het dan en zijn er bewijzen voor?'

Zijn stem klonk vermoeid. Als van iemand die een gesprek moet voeren waar tegen op wordt gezien, maar dat onvermijdelijk is. Hij beschuldigde mij er niet van dat mijn verbeelding met me op de loop was gegaan. Evenmin kwam hij met de opmerking dat dit allemaal speculaties waren en dat ik eerst maar met echte bewijzen moest komen. Hij had direct begrepen dat zo'n ontkenning geen zin zou hebben en tijdverspilling zou zijn. Dan was het beter om af te tasten wat ik nog meer wist. Het zou vast in strijd zijn met zijn geloof, maar in Leimann schuilde een goede pokerspeler.

'Keiharde bewijzen,' zei ik, en om alle twijfel weg te nemen legde ik hem in detail uit hoe het volgens mij in zijn werk was gegaan.

'U heeft Ernst gesproken,' concludeerde Leimann kortaf. Het klonk alsof hij het meer tegen zichzelf had dan tegen mij.

'Ja.'

'En? Heeft u hem ook ontmoet?'

Voor het eerst merkte ik iets van spanning in zijn stem. Ik gaf geen antwoord op zijn vraag en hoopte dat mijn gezicht op dit moment net zo'n masker was als het zijne.

Ik nam opnieuw het woord: 'Weet u wat ik mij natuurlijk de hele tijd heb afgevraagd? Wie heeft Kabarebe vermoord? Zoals de zaken er nu voor staan zou je kunnen zeggen dat het beantwoorden van die vraag er niet toe doet. Toch wil ik het weten.'

Ik zweeg, maar er kwam ook nu geen reactie, zelfs geen: 'En, wat zijn uw ideeën?' Het was doodstil in de kamer.

Toen ik die stilte doorbrak, klonk mijn stem onnatuurlijk hard: 'Ik kan het niet bewijzen, maar ik denk dat u Kabarebe heeft vermoord.'

Nog steeds was er niets van emotie op zijn gezicht te bespeuren. Alsof hij in trance was, herhaalde hij mechanisch mijn beschuldiging: 'Ik heb Kabarebe vermoord.'

'Ja, dat denk ik. Ik vermoed dat toen Kabarebe werd afgeperst, hij u heeft gebeld. Waarschijnlijk was hij woedend en kwam hij bij u om opheldering vragen. Dat was de eerste keer dat u hoorde, corrigeer me als ik het niet goed heb, dat Ernst die fraude had ontdekt. U moet even in paniek zijn geweest. Kabarebe wilde u ontmoeten en is daarom naar Scheveningen afgereisd. U kon hem alleen maar geruststellen door te zeggen dat u mij al had ingeschakeld. Weliswaar om een andere reden, maar toch. U heeft hem mijn naam gegeven, die stond op een notitieblokje dat op zijn hotelkamer is gevonden. U bent bij hem op bezoek gegaan en daar is het uit de hand gelopen. Hij zal aan u hebben laten weten dat hij ze zelf wel zou laten opsporen en wat hij dan met ze zou doen. Onschadelijk maken, uit de weg ruimen. Hij moet niet meer voor rede vatbaar zijn geweest en toen heeft u hem met die wandelstok een klap gegeven. Waarschijnlijk niet met voorbedachten rade. En hoewel Kabarebe toen dood was, was het wiel al in beweging gebracht. De opdrachtgever was dood, maar de opdracht stond nog uit. Het duurde lang voordat ik dat laatste begreep. Maar goed, de rest van het verhaal kent u.'

Hij verhief zijn stem en klonk geïrriteerd: 'U kent een deel van de waarheid en beweert dat ik een ander gedeelte ken. Wat wilt u van mij? Dat ik wat u veronderstelt bevestig of ontken? Dat ik de hiaten voor u invul?'

Ik schudde mijn hoofd. 'Verre van dat.'

En ik ging verder, want ik was nog niet uitgesproken: 'Misschien was uw uitbarsting wel een combinatie van afkeer van Kabarebe, die moest worden gestopt, en al die opgekropte frustraties en woede over het gedrag van uw dochter. Het was immers uw dochter die Kabarebe heeft gebeld en hem chanteerde. Ze had niet alleen geld van u gestolen en was ervandoor gegaan, maar nu stelde ze alles wat u had opgebouwd in de waagschaal.'

'Dus u heeft ook mijn dochter gesproken.' Opnieuw was het geen vraag.

'Ja.'

'Dus volgens u is Ramona de schuld van alles en Ernst Jimmink slechts een soort meeloper. U vergeet dat hij medeplichtig is aan diefstal.'

Het klonk bitter, maar zonder overtuiging. Hij ging niet zover Ernst Jimmink de schuld in de schoenen te schuiven. Blijkbaar wist ook hij wel beter. Wat hij verder mocht denken, hij hield zichzelf niet voor de gek.

'Ja, dat klopt. Dat is een enorme stommiteit geweest en die kunt u hem straks, als het u uitkomt, inderdaad in de schoenen schuiven. Vroeg of laat komt u tegenover hem te staan. Ik geloof niet dat het zijn idee was, maar hij heeft er zeker aan meegewerkt. U kunt dan zelfs beweren dat uw dochter het slachtoffer is geworden van Ernst. Een meisje van zeventien, in de ban geraakt van een oudere jongen. Waarschijnlijk komt dat moment wel, dat u er alles aan zult doen om zijn geloofwaardigheid in twijfel te trekken. Hoe dat verder gaat interesseert me eigenlijk niet. Als hij moet boeten voor zijn stommiteiten, dan zij het zo. Net zoals het mij niet interesseert wat er met u gebeurt als straks die fraude naar buiten wordt gebracht. Maar u en ik weten dat het Ramona is geweest die al die andere ellende heeft veroorzaakt. Ze is verantwoordelijk voor de dood van Peter Fennema en ze heeft van u, haar vader, een moordenaar gemaakt.'

Ik had de hele tijd ongemakkelijk rechtop gezeten, op de punt van een fauteuil die was gemaakt om ver in weg te zakken. Ik leunde nu voor het eerst achterover.

Er was nog maar één ding dat ik wilde zeggen: 'U zult begrijpen dat ik uw opdracht niet verder kan uitvoeren. Ik breng u niet uw geld en ook niet uw dochter. U bent me dus ook niets verschuldigd. No cure, no pay. Mijn betrokkenheid eindigt hier.'

Eindelijk zag ik wat beweging in dat masker. Het leek of de trekken op het gezicht van Raw Leimann zachter waren geworden. 'Terwijl ik denk dat u beide had kunnen doen,' zei hij.

Zonder te antwoorden stond ik op, maar Leimann was blijven zitten. Tot nu toe had hij voornamelijk geluisterd, maar nu wilde hij blijkbaar nog iets zeggen.

'Toen ik u de eerste keer sprak, zei u dat u tijdens uw onderzoek ook meer over mij te weten zou komen. Wel, ik weet inmiddels dat u goed bent in uw vak. U bent in ieder geval meer over ons bedrijf te weten gekomen. En mij dicht u bepaalde handelingen toe. Maar begríjpt u daarmee ook mijn handelen?'

Ik haalde mijn schouders op. Werd me gevraagd een waardeoordeel te vellen?

'Aanvankelijk wilde u dat ik geld voor u zou opsporen en uw dochter. Of het in die volgorde was of omgekeerd wist ik toen nog niet. Misschien wist u het zelf ook niet. Nu weet ik dat inmiddels wel. Het was eerst uw dochter en daarna het geld. Maar om op uw vraag terug te komen: vraagt u mij of een vader mag doden om het leven van zijn dochter te beschermen? Ik kan u daar wel een antwoord op geven, maar dat helpt u niet. Waar het om gaat, is wat u antwoordt als u die vraag stelt aan uzelf.'

Hij was ook opgestaan en zei: 'Ik moet u bedanken, omdat u zeer waarschijnlijk het leven van mijn dochter heeft gered. Hoewel ik weet dat het niet onze oorspronkelijke afspraak was, zou ik u daarvoor willen betalen. Ik begrijp echter dat u dat niet wilt?' De gebruikelijke hardheid en scherpte waren uit zijn stem verdwenen.

'Nee, dat klopt.'

Beneden bij de deur negeerde ik zijn uitgestoken hand. Toen ik op de stoep stond, viel de zware deur met een stevige klik in het slot. Het was me nog niet eerder overkomen dat ik een opdracht wel met succes had uitgevoerd maar er niet voor was betaald. Het voelde niet goed, maar in deze zaak, die alleen maar verliezers kende, had ik geen keuze gehad. Ik was in ieder geval de verliezer die er nog het beste vanaf was gekomen. Hopelijk was het een eenmalige ervaring.

Uit wat ik had meegemaakt, had mijn vader vast een boeddhistische les gedistilleerd. Dat het toch ergens goed voor was geweest, dat verlies en winst twee kanten zijn van dezelfde medaille. Misschien zou dat inzicht ooit nog komen, maar nu was mijn voorlopige conclusie dat ik maar helemaal niet meer voor particuliere opdrachtgevers moest werken.

Het was droog, maar er woei een gure wind. Ik haalde diep adem en zoog de koude lucht naar binnen. Ik zette mijn kraag op en besloot een lange wandeling te maken, kriskras door de stad. Via het Leidseplein, de Dam en het Centraal Station naar het IJ. Met de pont heen en weer, op het donkere water dat met deze wind wel behoorlijk onrustig zou zijn, om dan weer naar huis te lopen.

Zo lang onderweg als nodig was om de kou echt in me te laten trekken en de vermoeidheid in mijn benen te voelen op het moment dat ik zou gaan zitten. Daarna zou ik aan mijn keukentafel een paar glazen whisky met ijs drinken, een sigaret roken en nog wat naar buiten kijken. Vrijdagavond en -nacht was het een komen en gaan bij de vele cafés en restaurants bij mij in de straat. De warmte van mijn woning, mijn vermoeide benen en de drank zouden me hopelijk zo rozig maken dat ik diep zou slapen. Zo diep en onberoerd dat ik de volgende ochtend wakker zou worden met het gevoel alsof alles nieuw was en voor de eerste keer begon.

'Dat is ook zo,' zou mijn vader ongetwijfeld hebben gezegd.